Collins

Big book of
Su Doku

Published by Collins
An imprint of HarperCollins Publishers
Westerhill Road
Bishopbriggs
Glasgow G64 2QT
www.harpercollins.co.uk

10 9 8 7 6 5 4

© HarperCollins Publishers 2016

All puzzles supplied by Puzzler Media

ISBN 978-0-00-822093-8

Printed and bound by CPI Group (UK) Ltd, Croydon CR0 4YY

If you would like to comment on any aspect of this book, please contact us at the
above address or online.
E-mail: puzzles@harpercollins.co.uk

PUZZLES

Puzzle 1

6	9	1	3		5	8	4	7
3	7	4	1	2	6	5	9	2
8	5	2	7	9	4	1	3	6
4	1	6	8	5	7	3	2	9
2	8	9	4	6	3	7	5	1
7	3	5	9	1	2	6	8	4
5	6	7	2	3	9	4	1	8
1	2	3	6	4	8	9	7	5
9	4	8	5	7	1	2	6	3

Puzzle 2

3					6	2	5	9
5				9	2	1	6	8
2	6	8	5	1	9	3	4	7
1			6	9	6	4	8	2
4						5	7	6
7	8	6	2	4	5	9	1	3
9				2	8		3	4
8		4	9				2	5
6	3	2	7	5	4	8	9	1

5

Puzzle 3

	7				4			
		5				6		
	2		8	1	6		4	
			5			4		2
		4	1			9		
	9	1		6	2	7		
7			9	8			3	
4			7			8		6
	3	2						

Puzzle 4

			7	5	2		1	9
7		5	1	6	9		8	
	1	9	4	8	3	7		5
8	5	1	3	2	6	9	4	7
	7	6	8	9	4	1	5	
9			5	7	1			8
		7	6	1	8	5	9	
1	9		2	3	5	8		
5			9	4	7			1

Puzzle 5

		7	6	2				
5					9			
			7			4	8	9
		5		1			9	8
		9	8		3	6		
1	2			7		5		
8	3	4			1			
			5					6
				8	7	1		

Puzzle 6

	6	3		7	5			4
4					3	8		
9		2						
						2	3	
5				1	4			
3	7			9		1		
	9		2		6		1	8
			5			4		2
2						7	5	

Puzzle 7

		3	6	9		2	4	
	4			8		6		
		8				5	3	1
7					6			
		4					5	
1					3			
		7				4	2	5
	9			4		1		
		5	8	3		7	6	

Puzzle 8

8		2			4			6
					8		5	
		4	9			2		
				3			9	1
9		7			5			
1			6			3		
	8	1		4		7		5
4	2	5						
	7		3	5				4

Puzzle 9

	2	5						
1	6	8	7					
				1		2		
2	8			9				
	5				2	6		
7			6				9	
8	9						5	6
		1		6	4		2	7
		2	8		5		3	

Puzzle 10

	9	5						3
		4				9	8	
				3				1
4			9	5	2		7	
5			3	8				
8			7	4	1		9	
				9				8
		2				1	4	
	1	8						7

Puzzle 11

	8	2				7	1	
6								9
			6	7	1			
	3		9		6		5	
7		8				9		3
	6		2		7		8	
			5	6	8			
3								5
	1	5				6	9	

Puzzle 12

5						9		
			2		1			
2			9	3				7
7		3		5			9	
	5		1		3	4		
	4			2		5	6	
	7				6			
1		8	3	9				
	9				8	3		6

Puzzle 13

3				9	2			
	4		7			5		
	2		5		3	7		
7		6				4		
	5	2				9	3	
		9				2		1
		3	6		4		1	
		7			5		9	
			2	3				7

Puzzle 14

			8				9	
		2		6		1		
8		6				2		5
				5	7	9	2	1
		7				6		
1	6	9	3	4				
6		4				8		3
		3		9		5		
	5				8			

Puzzle 15

1							8	
		5	7		4		3	2
	4				8	5		
7			3	9		2		
	6	8						
5			2	8		1		
	3				9	8		
		7	1		2		4	3
6							1	

Puzzle 16

		1	9	2			5	
				8		6		9
		2			6		1	
	3					7		
7			8				3	5
	2			5				6
3		6				2		4
9			2		1			
2	8	4		9				

Puzzle 17

		1	5	3				
8				2	4	9	5	
1						6		9
3		5			8	2	4	
		4		6		1		
		8	1	9	5		2	
		2		7		3		4
			2				1	

Puzzle 18

		2	9					
7					6			
	6	1		5	8			
			5			6	1	
6		9				5		
	1	8			9			7
	5		1	9		7		2
3		7	4			1		
	9			2			6	

Puzzle 19

		1	5			6	2	
					7			4
5	7							9
	3	7	6				8	
		4	7					
	6		1	8	5			3
	4			6	1			2
		6	2		8	7		
2						3		

Puzzle 20

9								4
5	3						2	7
8	7		6		4		5	9
			7		9			
	2						4	
4				8				1
		7				9		
1		8	3		7	4		5
		5				2		

23

Puzzle 21

	1						9	
8		9			2			
	5		4	3				
		4			8		5	
		5			1	7		3
	8		7	6				
				9			6	5
1			8			9		4
				7		8	3	2

Puzzle 22

7	8		4		2		9	3
	6						8	
			3		5			
		4				9		
	1		9		7		3	
8	7						4	6
9			8		3			7
				7				
5		7				4		8

Puzzle 23

		7				3	6	9
2			6					8
		6	9	8		1		4
	7	1		4				
5				7	8	2		
	4		5			9	1	
					5	4		1
			8		6			
				9			8	

Puzzle 24

7			9		5			8
		5		3		2		
		8				3		
				1				
	4						2	
5		2	7		8	4		3
		3				7		
		7	2		3	5		
	6	9	5		1	8	3	

Puzzle 25

4		9				5	3	
	3				4		9	
1	9		8	2		4		
	4	7			9			
6		2			3			
3			9	4			5	
				3	7	6		
2		6	5		8		4	

Puzzle 26

		5		3	9		1	
			4		7	6		5
						4	8	
		8	2				7	9
7		3	9	5				6
	2			7	1		3	
5				4	8			2
			3					
		6		1				

Puzzle 27

	7							
			6	3				
6		2	1	5	9		7	
	9	5		1			6	2
		6	4					
	3	7		9			4	1
1		8	3	7	2		5	
			8	6				
	5							

Puzzle 28

				7		3		
	4			8	3			
		2			4		8	
			5	9				
6	8		3			4	1	
	2	3				8	7	
8				6	2		4	
		7		5	9	1		2
							9	

31

Puzzle 29

		4						8
2				9	6		7	
	8	1		2	7			
					9	3	2	4
1								5
6	2	9	5					
			7	4		1	8	
	7		9	1				2
4						7		

Puzzle 30

				8	3			5
				6	2		4	
			1				2	9
		5		1			8	4
6	8		4					
2	4				5	9	1	
					7	1		
	1	2	5		8			
8		9	3					

Puzzle 31

8					1	6		9
5		1						
		6	8	2			1	3
				7		8		1
2				3				
				5		3		7
		5	3	1			8	2
7		8						
3					5	7		4

Puzzle 32

		9	2		1	8		
			8		6			
	7						9	
5	4		9		2		1	3
8								2
3	6		1		5		7	8
	1						3	
			7		9			
		5	3		4	2		

Puzzle 33

		3					7	
				4				3
		6	9			5		
	5	9	7					
2		8	4				5	
	7			6	1	2		
9		5		1	2	7		4
1			8		4			
	8	2		9				

Puzzle 34

			6		1	2		
							3	
	8	2		9				6
7	6			2	4			8
	4			5	6	1		
2								4
9	2					6		
		6		3	9	7		
4		5	1		7			

Puzzle 35

	8							
5			9		1			
		3		7	2			
		5	7	4		2	1	
	7	1			6	3		
		4	2		3		5	
		9	4	6	8	1		
	3			9				2
							4	

Puzzle 36

					6			9
4				2			6	5
9	5				8			
6		9			3		4	
	8	1				5	9	
	2		8			3		6
			6				7	8
1	6			8				4
8			3					

Puzzle 37

					1		8	
		5		4			6	
	9		3	6		1		4
		1	2					
	8	6				4		5
2								1
		2		3			7	6
1	6					9		
		3		8	4	5		

Puzzle 38

					4		8	
			9					
				6	8	2	1	4
	7				9			3
		3				5		
5		8	3				2	
		2		9		4		8
4		6			5			2
		9	8			7	6	5

Puzzle 39

4			9					
			2		7	1		
8	2		4				7	
1				8			9	
7			9	6	2			1
				4		8	6	
	7	1						
5		4				6		
	3			7	6	5		8

Puzzle 40

		6			2	7		1
	3		4	6				
5					1		6	
	5			9			2	
	2		7	5		3		
6		9					7	
2				7			1	5
		7	2		5	9		
8					2			

Puzzle 41

1	8	6			3	9		2
				2	9			
						3	7	8
	9	3		5				1
2				8		7	6	
4	7	5						
			6	9				
8		9	1			2	4	3

Puzzle 42

				1				9
		6		5		8		
	9				8			
					6			3
2	4					5	9	6
		8	3					7
	3			6			4	
				7		3	5	8
4			9	2	3		7	

Puzzle 43

					8	7		
			6	7		4		8
						3		2
	4					1	2	9
	5				4			
7				2				4
2	7	3	5				4	
			2			9		1
	1	9	4		6		5	

Puzzle 44

						2		6
	2		8					
9	5	1		6			3	
3					8	5		
	8	9	5		6	1	4	
		5	1					9
	7			1		3	8	4
					4		7	
1		6						

Puzzle 45

							6	
		9	6	5	4			7
4					8			
				6		7	3	
7	5				1		4	
6		3					2	
3		6	4				8	
2	4			9				
	9	8	2	3		1		

Puzzle 46

7				8			5	6
						4		
		5			6			9
				7				2
5			1		3		9	
		7		9			1	8
	9					1	8	
2				1	9	7		
1		6	8		5			

Puzzle 47

							1	
	1			2				4
6			9		1	2		
7			4	9		1		
				6	8		9	
8		4			5	3		
	6		8					
2		8					4	
1	3		7		6	9		

Puzzle 48

			1	2				
	5	7	8			3		
	3	1	4		7			
		9				4	7	
7		5				2		3
	2	4				9		
			3		6	7	5	
		2			4	1	3	
				8	5			

Puzzle 49

	3				7	8	6	
7			4	9				
	9				5			4
		4	7	8		5		
					4			
		7	2	6		3		
	6				9			7
2			5	4				
	4				2	9	8	

Puzzle 50

				1			5	9
			7					4
3						6		
	4			8	3			
		3	6		4			1
9		5		2			8	
8		7	9	3				
5					1			
6	9	1	2			8		

Puzzle 51

						1	8	
					7	4		2
			3	2		7		
	8	4		1		3		
5	3	7				6	2	1
		1		3		8	7	
		2		8	1			
6		3	5					
	1	5						

Puzzle 52

							5	
4	8		3					1
		9	6	2	4			
	7	5			6	1		4
							2	
	1	2			5	7		9
		4	7	9	2			
5	6		1					2
							4	

Puzzle 53

			1					
3	8					2		
	7					4	8	1
		9	3		1			5
	1	6	2		5	3	4	
5			7		4	6		
2	5	7					6	
		3					5	2
					7			

Puzzle 54

				4		7		3
	8						2	
		2	9		7	8	4	
6	4			3		2		8
9		7		8			1	6
	6	9	7		4	1		
	2						6	
4		3		5				

Puzzle 55

	4					1		
		3		7				
2						9		5
8		6		1				
		7	8		4		2	
5				2				
4		5		6	3		1	
3	9							8
	7	1	4		8	3		

Puzzle 56

						9	5	
		3		5				6
7	8	5		4				3
		8			5			
	5		6			8	4	
2				3				
	4				3	6	2	
9		6		8		1		
5	3		4			7		

Puzzle 57

				3				
		7	6	1				4
			2			1	5	9
		9	4				1	2
6		4				8		5
2	7				1	4		
9	5	8			4			
4				5	3	9		
				2				

Puzzle 58

					7	3		
			5	1				
		5	2		8	4		9
6	3	7		9		5		8
	5				6		3	
						9	7	
	8	1			4	7		
4		9		7	2			
	7				5			

61

Puzzle 59

		7			4			
				6				1
6				7	2	3	4	
						2		
	2	1			7	9		
4		9		2			3	
		4	2	9			8	
		3			8	5		9
	8						1	7

Puzzle 60

			2		3		6	
		1			9	3		2
	2			4	5			
8			3				1	
		9		5	4	6		
4	3	5		7				
	6			1				
1			4				2	9
	9						3	

Puzzle 61

	6						2	
8								6
			3		7			
		2	9	3	8	6		
		8	5		2	1		
	2	3	6		4	5	8	
9								4
	7	5	2		1	3	6	

64

Puzzle 62

		9	4		3	6		
	4	6				1	5	
	9						7	
			8	4	6			
	8	1				3	6	
		4	1		8	9		
	1	3	6		7	4	8	
		7		9		5		

Puzzle 63

		2		3			6	
	1				9	2		5
				8	5		7	
	8		3			1		6
		9	1			5	2	
		6		7	3			1
	9		5		2			7
		7		9		4	5	

Puzzle 64

							5	
			3		8			6
				9	4		7	
	4				5		2	
		8			7	5		9
	5	9	2	8		7		
				7	3		9	1
5		6	1			2		
	7			2		3		

Puzzle 65

	4						5	
			5		9			
	8						2	
		3				1		
		8	6	5	7	4		
	2	7		4		9	6	
			3		4			
	3		2	6	1		4	
		4	9	7	5	2		

Puzzle 66

			3					
						8	7	6
		4	5	6	1	9		
	5		6				8	
4	6			7			5	1
	2				3		9	
		6	2	3	5	1		
5	4	7						
				4				

Puzzle 67

		6						1
			3	5	6			
7		9		8				
	8				2	5		
	1	7					9	
	3		4			6	2	7
			5		7		3	
				2	3	9		
5					1			6

Puzzle 68

5			3					
						5		9
	1	7		9		4		
	9	5	8			7		3
2	7						8	1
8		3			9	2	5	
		4		6		8	7	
9		2						
					3			5

Puzzle 69

	8							
7		4	5	6				
	5		3				1	4
	3	9				1		7
	2			1				
						9	5	8
			2		6			1
		8			5		4	9
		1	4		3	2	7	

Puzzle 70

		2						
	3	9	1					4
		5	2	8	9			6
6	1		4	2				9
2				7	1		4	8
3			8	9	6	2		
7					5	9	8	
						4		

Puzzle 71

	1	3				7		
4	2			8	5		3	
	5	6	8	7		2		
7					2	3		
2	3				1			
		5			6		2	
			2		8	6	7	
8			1	9		5		

Puzzle 72

	6		9		2		3	
	4						2	
5								1
7	2						5	9
		8		4		7		
		1		3		2		
8		3				1		5
		2	5	7	1	4		

Puzzle 73

	6	1	2		7	8	4	
			6		9			
	8	9	7		1	6	5	
	7	4		5		2	1	
4		6		2		5		8
	5		4		8		6	
7								4

Puzzle 74

						7		
	7			4				5
			7	1	5	4	2	
8					7	3	9	
	2		6		4		5	
	3	5	8					7
	5	3	4	7	2			
9				6			4	
		8						

Puzzle 75

					5			
		4		7		6	5	
						1		4
8		1		6	9		7	3
4		9				8		6
6	2		4	8		5		1
1		7						
	8	6		1		9		
			5					

Puzzle 76

	2	8				5	1	
		6	1		5	9		
3								4
		1	6		3	2		
				9				
	3		2	7	1		6	
			7		2			
7	5	3				1	4	2
6								5

Puzzle 77

5								
		3		8		9		
		2	5	7			6	
		4		9		2		7
		5	7		3	8		
9		6		1		5		
	2			5	1	3		
		7		2		4		
								5

Puzzle 78

			7		4			
4	5						1	7
		7		8		2		
6			5		3			4
3			8	2	6			9
	9						6	
		1	3		5	7		
5	6			7			8	3

Puzzle 79

				4				
			6		5			
	5		1		7		6	
9								3
		6		9		5		
7		4	5		6	2		8
		8	2		3	9		
	9	2				7	5	
4			9		1			2

Puzzle 80

			4					5
		6			1			
	4		8	6			1	
1		4			2	8		
		9					4	7
	2		6				5	
			3				9	
		8		7	4	5		3
9				1			6	8

Puzzle 81

6								7
		8				2		
		4	5		7	6		
	3		2		6		4	
		9				8		
			1	4	8			
		1	3		2	4		
4	7			6			5	1
	6						2	

Puzzle 82

					2			
6						1		
1			7		9		4	
	2			9		4		3
		8	3		7			
	3	6		1		7		
5	9		6	2				
		7	9		1			
		1				5	2	

Puzzle 83

			9		5			
				8				
		1				6		
	1						7	
	7		1	3	4		2	
3	4						1	6
		2		7		5		
		8	3		1	7		
1	5		2		8		9	4

Puzzle 84

					6			
		8			2		9	
	6		9	3		8		5
1						9	4	
	3		4	9	1		7	
	4	9						3
8		4		2	5		1	
	9		3			6		
			8					

Puzzle 85

				5				
							7	1
					1	9	8	2
				8		7	5	
5			6				1	
		1				8	6	3
		8	3		9			
	3	5	2	1	4			
	1	4			5			

Puzzle 86

			7					6
4				6	5		7	9
	1			2		3		5
					6	2		4
				9				
1		5	2					
6		7		4			3	
3	5		9	7				1
9					2			

Puzzle 87

				3				6
7					9	2		1
		3	1			9		
	8			2			9	
	9	2		6		8	7	
	4			1			5	
		4			6	5		
8		5	2					9
9				5				

Puzzle 88

			6					
					4			
			3	5	2	9	6	
8		6		1				
		4	9					5
	5	1				6	4	9
		5			6			4
		9			7		5	6
				2	9	8	3	

Puzzle 89

		4				9	5	3
	9				8		1	4
					4	1	3	9
					1			2
		3	5	6				
	1		7				9	
	8	7	4			3		1
	3	5	6	1			4	

Puzzle 90

	3		7	8				1
2					6	5		
4				2				
7	9	1	4	6				2
6	5	8	2	7				4
1				9				
9					4	2		
	4		1	5				7

Puzzle 91

			9		2			
	3						8	
		5				7		
4								8
	8		7	9	1		5	
	1		5		8		7	
		1		7		6		
3	4	6				9	2	7
5			6		9			4

Puzzle 92

			2					8
		8	6	1				
	2				5		7	9
7	8				4			
	6				2		4	
		2	1	3			6	
						5	9	3
		5		4	9	7		
6		9				2		

Puzzle 93

			9					7
		4		8		3	6	
	7	1	4				5	
6	9							8
			3	4				
3	4							9
	3	6	8				9	
		9		5		1	7	
			7					4

Puzzle 94

5								
	8		4					
				3		8		2
	1				8		4	
		7					3	8
			9		1	7		6
		4			7	3	6	1
			5	4		9		
		2		9	6	4		

Puzzle 95

						3		
		1	6		9	7		8
	8	7	5				6	
	4	5		8			1	
			2			9	4	
	6						8	
8	7			2				
		9	4	7	1			6
	3						7	4

Puzzle 96

6						4		5
			3		6			
	2			5				7
		3			1		2	
	9		6	3		7		
5	6		4	8			9	
2					9			
4			8	1		6		
	8	6	5					9

Puzzle 97

					8	2		
3							6	
	6		1		9	4		5
5		2		4		8		
		9		8				7
7		8		9		1		
	2		9		5	3		8
8							9	
					6	7		

Puzzle 98

							6	
		4		5		7		1
	5	2	8	6	1			
		5	3		9			
	7	8				4		3
		6	5					
	8			2				4
4								8
	9			3		6	1	5

Puzzle 99

						2		
1					7	4	8	3
9		2			4			5
3			7		2			
2	4						3	6
			4		8			7
5			8			6		9
4	2	1	6					8
		9						

Puzzle 100

			3	1		8		
			5	2	7	1	3	4
	1	3			8			6
	4	6					2	
		7	6			4		1
	8	9			1		7	
		5		4		6		
		1	7		3			

Puzzle 101

					5		4	1
							7	9
		3				2		
				4	9			
			5				2	7
2			6		3	1		5
		8			2			
6	4			3			8	2
3	2			6	7		5	

Puzzle 102

5	6							
					4	6		
1	7	9					3	
				3	7		6	
	8	7	5		2			
6	3			4				
				7		8		
4			3	8		1		6
	9		1			5		3

Puzzle 103

	6							
		3					2	
	5		7	4	6			
					9	4		
2	3					6		
6	9	8				2		
8			9				3	
			2	8		5		7
1		9	4	5				

Puzzle 104

		6	7	5	2	4		
				4				
	8						6	
	3		1		6		4	
		7	5		8	1		
	7		9		1		3	
6		1		2		7		8
		5				6		

Puzzle 105

7						9		
			5	7	1			8
		2				6		7
	3			1	4	2		9
		5			7			
	2			6	5	4		1
		8				1		4
			6	9	2			3
3						7		

Puzzle 106

				7			1	
4								9
2	5	3	4					
		9	1	5				
7		4	8		2			1
	8			4	9	7		
1				3	6	8		
			2			1		
		2		1		9	6	

Puzzle 107

	3							
2		7						1
	6					2	3	5
				6		4		9
			9	8	4	7		2
				7		5		
		3	5	4	7			6
		5						
	4	9	6	3		1		7

Puzzle 108

		3					9	
		4	2		5	6		
2	7				9	4		
6	8		5	1	4			
9	4		3	8	7			
7	2				1	8		
		1	8		3	9		
		6					7	

Puzzle 109

			6					
	9	2			8			3
	3	6		7		1		9
4						5		7
		5					8	
	7					4	1	
		3	4		6	8	7	
			5	7	9			
	2	4	9					

Puzzle 110

	4						7	
	2		3		9		1	
	9	3		6		2	8	
			2	5	7			
		2				8		
			4	8	1			
	8	6		1		4	3	
	7		8		3		5	
	5						2	

Puzzle 111

7			5					
4		1		3	9	6		
					1		8	
	2			4		8	9	
		4			2		1	
6		9	8					4
3			7	1			2	
					5			
2		7	4				6	3

Puzzle 112

				8				
				5	4		9	6
			6	1	3	8		4
	8	6				4		9
2								3
4		1				2	8	
7		5	8	3	1			
6	3		5	7				
				9				

Puzzle 113

		2	7	1		8		
9						2	3	
	7				8			
		3	6			9		4
4								1
1		9			5	6		
			1				8	
	4	8						5
		5		6	3	4		

Puzzle 114

			1		7			
5								2
9				4				3
	3	2				9	1	
			7	3	2			
7			9		8			1
		5	4	2	3	8		
3	6						9	4

Puzzle 115

				2		4		
			1				3	
		9	4			2		8
9		8			6	3	5	
	5	2				6	4	
	4	3	5			8		7
8		6			2	5		
	3				1			
		5		6				

Puzzle 116

				7				3
			3		5	7		8
			6			5		
	2	6	5		3	1		
1						9		
	5		4		9	6	8	
	6	7	2	3	1			
					7		2	
8	1							

Puzzle 117

	3							1
				6	4	2	3	
4	2			7	3		5	
				3		1	6	
					8	7	4	
	9	7						
3			4					
7			9			3		5
	1	5				8		

Puzzle 118

					3			
		9	2		8	6		7
	6	2		4				
		6			1		8	2
8								4
1	2		6			3		
				5		2	1	
4		7	1		2	9		
			8					

Puzzle 119

	1	9			4			
7								
8							9	5
					6	7	3	1
				5		9		6
2			7					4
			5	6			7	9
		7	1			6		
		3	2	9	7	4		

Puzzle 120

								6
		7				9	4	
	1			2	5	8		
			8	9	6	2	5	
		9	3			7	1	
		2	1			4		
	9	1	2	6	3	5		
	2		9	8				
8								

Puzzle 121

			4	9	8		1	
							8	9
			6			4		
7		4			6			
8					7	6	4	
6			2	4			7	1
		5		7				4
3	4			8	5			
	7				4	5		

Puzzle 122

			6	8	4			
								1
		2		1		6		4
	6		1				3	7
	7			4			8	
8	5				2		6	
6		5		7		2		
3								
			5	6	3			

Puzzle 123

		1				3		
	8							5
	3		5		9	6		7
		8	9	2		7		1
4					7			
		2	3	4		5		9
	9		8		5	2		4
	4							3
		5				9		

Puzzle 124

		5				4		
			6		8			
3	6	4				1	8	7
	4	8				7	2	
9			5		1			6
		6	8		5	3		
5		9		3		2		8
	2					5		

Puzzle 125

			4				2	
	3		8		6		5	9
2	1	6					3	
3				4	7			2
9				3	8			5
5	7	3					6	
	6		7		2		1	3
			3				8	

Puzzle 126

							7	
				6	2			3
			3	8		1		
		3		1				6
	1	6	8	5	3			9
	2			9		3		8
		1			4	8		5
6								
	5		1	3	8	4		

Puzzle 127

					8			
	5					8		
	6		1	5		7	3	
	8	9	3	4				7
				6	3			
3	1	5	8		9	4		
			9		5			
	9		4		1	2	8	
4			6					

Puzzle 128

			6		5			
					9	2		4
	2		8	4		6		
4		2	3				8	5
		8				7		
3	1				8	4		6
		5		1	4		3	
1		7	2					
			9		3			

131

Puzzle 129

								5
6			4					
	7	9		6	3			
8		6				9		
2	1		8			3		
5		7	1	3			8	
			3		8	4		
7				9		1		
	8		2	1	4		6	

Puzzle 130

		5						
					2	3		5
	8		3		4		6	1
	9			4			1	3
7	6	1						
	3			8			7	2
	4		8		5		2	6
					9	4		8
		2						

Puzzle 131

								2
6								
	3	9	4		6			
5		6		4		1		
	8		5		9			
3		7	2	6		4		
9	5			6		4	2	
		4		9			3	
		3	1		7		6	

Puzzle 132

	1						7	
7	6					9		4
			9	2	7			6
		3						
		7			8	5	9	
		5		6		4		
	4			5	9	1	8	
9				8		3		5
	5	8					2	

Puzzle 133

			9		3			
	8	3				7	9	
	9	2	5		7	4	8	
	2		6		5		7	
9			3		2			8
5				1				4
			4		9			
8	4						5	9

Puzzle 134

				8		4		
	7		2		5			
			3					1
	5	7		6			4	
3			8			1	6	7
	1				3			8
9				1				6
			5	3				4
		2		7	9	3	8	

Puzzle 135

				2				3
						9	2	
	3		6			4	5	
	9		8	5				
8					1			5
3	2				9	7		
2	8							
		7	3		5	1		
6		1	9	4				

Puzzle 136

			5		6		4	
		7	3		9			5
				4				
3			1				5	6
			8	3		1		
		8		6	7		3	9
9	1		7				6	
8		2						
	4	5			1			

Puzzle 137

		6				3		
							9	
			3	5	9	6		8
	3			1		5		
	8		5	4	6	9		
6				3		2		
4		1						2
9				6	4			
	2	5	1					

Puzzle 138

	3			7			8	
		8				4		
5	2						3	6
3			4		5			8
8	9						7	3
2			3		7			9
9	4						5	2
		2				3		
	7			6			9	

Puzzle 139

2	8				5			9
							8	
9	4			1	8			
3					2	1		7
		7				9		
5	6							
8	2			4				
		4	1			3		8
		3	8		9	5		2

Puzzle 140

						7		
	9			2			8	
3			5			1	6	2
			3	8	6		5	
		2				8		
	6		2	1	4			
7	5	6			1			3
	4			5			9	
		3						

Puzzle 141

					4		8	
	2	4					3	
7				3	9	4		6
			1			6	5	3
	5		7					
			9			8	4	7
9				8	2	3		5
	3	5					7	
					5		9	

Puzzle 142

2		8		6				
					2		3	
		1	3			9	5	
		4	6		5	8		9
					8			
		6	2		7	3		1
		7	9			1	8	
					3		2	
6		2		7				

Puzzle 143

							2	5
			8			9		
	5	6		2	9			
2	3		9			4		7
8	7				4			
5	6		1			8		2
	4	2		9	8			
			3			6		
							1	8

Puzzle 144

							9	
			7	3	8			5
3				6	2			
	6		5			2	8	
		2	6			1	4	
4		1		2	7		3	
	3		2	1				
		7			5			
5			4			8		

Puzzle 145

3				4	6		8	
	4			1		3		7
			7			4	9	
			5					2
5							7	8
9		7	2		4	5		
	5		1					
8		3					6	
	1		6	5				9

Puzzle 146

	6			9		8	4	
		9	2		7		6	
2					1	6		
	8		6				2	
5	7			3		1		
9		4				2		
8			3	2			5	
	3	2	4		9			

Puzzle 147

						5		6
				7				
	9	4			3			7
		3		1		6		
		1	4		2		8	
4	5	8	7	6				
			9	4	7	8		
2			6			7		
	7		3					

Puzzle 148

			3		2			
		4				8		
	3		9	7	4		2	
		3	4		9	1		
2			5		8			7
		6	1	3	7	5		
4	1						7	6
			7		1			
	9						1	

Puzzle 149

		5						7
4	1				2			
	8	7	3		4			
2			6			5	1	
	6		5					
5				8	1	6		
	4					7		6
		3		1		4	5	
8			4		6		3	

Puzzle 150

	7	3						6
1					4		3	
	4			6	9			1
		1						5
4		6				8		3
5						1		
6			7	8			5	
	2		4					8
8						4	2	

Puzzle 151

				2				
			1			6		3
6		7			8		5	
7		9	5	1				6
5		3				8		4
1				8	3	9		5
	5		3			2		1
8		1			2			
				6				

154

Puzzle 152

		2			4			
	7	5		6			3	
8	4				1		5	
						3		6
	9				6	1	8	
2		8		5				
			8	1			6	
	8	4		3		5		7
			7				1	

Puzzle 153

4	5							
	7		6	1			5	
3			9					
		4						
	8		7				3	
		5	3	9		1	6	
1			2		3			
8				5			4	6
	6	2				3		1

Puzzle 154

	9			1				
	4	2			9			
			3			8		1
4			7		2		5	
7		5				9		8
	2		5		3			4
6		7			8			
			9			2	8	
				6			7	

157

Puzzle 155

9								1
	4						9	
	2	1		4	8			
	1	9		6		4	5	
	5	4		3		2	1	
	9	1	7		2	5	4	
			6		1			
	8		3		5		6	

Puzzle 156

			8	9	6			
	1						7	
	7	6	4	8	1	3	9	
2		8	5		3	7		1
8			9		4			3
3			1	5	2			4
		1				5		

Puzzle 157

			3			9		7
	9			7			5	6
	3				9		8	1
			6	9				4
	7						6	
8				3	5			
1	6		8				7	
9	2			4			1	
7		8			1			

Puzzle 158

		7		5				
		3	9				4	
4				1	8	6	5	
						1	2	4
			1	6	5			
						5	6	7
5				7	4	2	3	
		4	5				7	
		1		3				

Puzzle 159

		1				8		
			6					4
4	6				7		9	2
	5		7	2		9		
		3				4		8
	2		8	6		7		
2	1				8		3	7
			3					1
		8				6		

Puzzle 160

		2	6					
8				5				
	6				7			
	1	4		7		5		
	5				2		4	
3	2	6						9
	3		7		1			4
		7	2	4	6	1		
			3				2	

Puzzle 161

	1		7	3				4
	8		6		2	1		
		2			4		8	
	5			8		6	2	
					1			7
		8					1	3
2	9		3			7		
		3			7		5	1
		5						

164

Puzzle 162

			5	6	2		4	9
	5			4		6		1
6				8			2	
	3							8
	6	9	1			7	3	4
				9				6
3				1				
	9			5	8		1	
		6				8		

Puzzle 163

5		9			4			
			6	1	9	7		2
						3		4
	3	1		7				
	6	5			2			8
	2	8		4				
						8		9
			5	8	1	2		6
2		4			3			

Puzzle 164

								3
		6	4			2		
	3		9	8	5			4
	7	5				3		2
		8			4	7		5
		3		5		9		
	8		5	6	1		9	
						8		
1		4	3	7				

Puzzle 165

						2		1
				5	9	8		
							6	4
				9	7			2
	7		1		5		8	
	9		4	2		7		
5	3				2			6
		2		4				3
4		9	3			5	2	

168

Puzzle 166

			1					7
			5	4		6		
1		8					2	
8	6	9						5
		5	2		9	8		
4						9	7	1
	5					4		8
		7		8	6			
3					1			

Puzzle 167

				7				
		4				9		
2								5
			5		6			
8		3				5		9
7	5	2		3		6	8	4
		7				4		
3				9				8
5		9	4		1	3		2

Puzzle 168

							1	
				5	4	2		7
2				7	6		4	
1	9	3				5	7	
7	4					3	9	
6								
	8				2			
	2	5		6	7			
			3	8	1	9		

Puzzle 169

		1				5		
			2		5			
7			3	4	8			2
	4	2	5		6	1	9	
	8						7	
	9	8				2	4	
		6		2		3		
			4	6	1			

Puzzle 170

3	4			6			5	7
1		9	7		3	8		2
6		7	2		5	3		4
	2		1		9		7	
		3		7		4		
4								1
5	8						3	9

Puzzle 171

					9	5		2
		9						
	4		5	7	6			1
		1		8				
		2	4	6				8
6		4			5	3		9
7					1		3	
						6		7
4		6		2	7		8	

Puzzle 172

9								
			6		8	1	3	
	3	6		5	9		2	
	9		5			7	4	
				8		3		
1	4				3		8	
3	5					4		
		9	7		1	2		
		2	8					6

Puzzle 173

			1			4	8	
						9		3
	9			6				2
	2	6			7	5		
	1		3		6		7	
		5	2			6	1	
6				7			2	
1		4						
	3	7			5			

Puzzle 174

					6	1		7
	1			4				
5								8
9								6
6	8		2				5	
2	4	7		1				
	2		7					
3		5	9	2			6	
	6		5	8	4	2		

Puzzle 175

			9	8				
		7			2	1		
	4		7		3	5		6
4		1	6		7	9		
5				4				8
	9	3	2		8			
	6	2	8					5
		8		9		7		3

Puzzle 176

7			2		3			9
			5		1			
		3		7		6		
		2	1		9	8		
		7		2				
8								2
9								6
4	7						9	5
	3	6		4		7	2	

179

Puzzle 177

		7	1					8
9		5		2		1		
	1	2					4	5
			5	6			8	
	3							7
			3	4			1	
	4	3					5	2
7		8		3		6		
		1	2					3

Puzzle 178

			8				5	
7								4
	1			4	9			
		5	4	9		8		
4		2			7	9		
9	8				3			7
2	5			3	4			
		9	5			2		
		3	9	6			7	

Puzzle 179

					6	7		
				8	2			
3		7				1		8
			6				9	5
	5	1					7	
2		8			7			
1	2		8	7		3		
		3		6				
9		5	1			2		

Puzzle 180

3		2					9	
		5						8
	8		1		2			
		9			1		8	7
	2		5		7		4	
1	4		6			9		
			7		3		6	
5						1		
	7					8		2

Puzzle 181

						1		9
							4	
			1	5	3		7	
		9		7	4		5	
		7	6				9	1
		4	5			7		
9					1			
	4	5	9	8				6
1				4			3	

Puzzle 182

								8
				2	4			
			9		6		1	2
		3			2		6	
	5				9	8		1
	7	1	8	5				4
				9		5		
		9	4					6
5		6		3	1		7	

Puzzle 183

		7						6
			2		7			
				3		9		5
2					3	1		8
5	7		6		8		9	3
3		1	9					4
1		8		2				
			4		1			
6						8		

Puzzle 184

8		6				4		3
	5						1	
			4		5			
		3	2		9	7		
2	6		3		7		8	5
	3	4				6	2	
		5	9		4	8		
			6	1	2			

Puzzle 185

					7			1
		9	4					
5					2	8		
1						9		4
6		8	2	7				
4	5		1	6			8	
	6			4			2	
	2	5	3					
			6	2	8	7		

Puzzle 186

				5				8
	5		4			2		
				1	2	5		4
	6				4		8	
1		8		6		4		
		3	9				5	
	3	6		4			1	
			5		3	8		2
2		9					4	

Puzzle 187

6				8				9
	8	2				4	3	
	3		1		5		4	
		8		2		9		
1			6	3	8			7
8			7		1			5
		5				8		
9		6				7		4

Puzzle 188

			6		4			
				9				
	9		1		5		4	
	6		2		7		5	
		4				3		
1	5						2	8
		6				2		
2		7	9		3	1		5
	8		4		1		6	

Puzzle 189

				5				
			7		2			
	9	4				7	2	
		6	2		4	9		
2	7	8	9		3	1	5	4
	4		3		8		7	
1			4		5			8
	3						9	

Puzzle 190

					2			
7	4			1		2		9
	9					1	5	6
	3		7			8		
			5			6	4	
	6		4			3		
	7					5	1	8
1	8			6		9		7
				8				

Puzzle 191

		3				2	6	
					1			4
4	5	6		2				8
		5	1	6			9	
	9				4	6		
	3	1			9			
			3		7	8		5
			8	9		3		
						1		

Puzzle 192

				1	8	7		
6	4	1			3	5	2	
	7	5	9				1	8
9							6	
4		8			1			
		3	6		7	8		
				9	6			
2			8	3		4		

195

Puzzle 193

	1						3	
			4		8			
	7						5	
		8		1		5		
7		6				1		9
	4	9		8		6	2	
		4	2		6	3		
	8	1	5		4	7	6	

196

Puzzle 194

			1					
	8	7		3		1	5	
		8				2		
3			8		4			1
9			1	7	6			3
	9	1		8		4	7	
4	3		9		7		1	2
			6		1			

Puzzle 195

		4		2				
		6				2	9	7
1	8		9		6			
		7				4	3	
2				9			5	
		9					6	
	4		6					
	9		4	8	3			5
	2						1	

Puzzle 196

			4			8		
						5	4	
			1	7	2		3	9
3		2	8					4
		5			1		6	8
		7		5			2	
7	2							
	1	8		6	3			
		6	7	1				

Puzzle 197

			6					
		3			7	4	1	
5	7			1		3		
6	3		9	5				
7						1		
		6	7		9	2		
1		9			5	7		
6	4	8			7			
			4					

Puzzle 198

6				3				8
	9			5		7		
	5				6	2	1	
2	8				1			5
					5	9		
5	7				9			2
	2				4	3	5	
	3			1		6		
8				7				9

Puzzle 199

			9		4			
8								2
	4	7				9	1	
	8	5	6		1	2	3	
	2						9	
	3	1	4		2	7	8	
	1	3				8	5	
5								9
			3		8			

Puzzle 200

			4					
			1		3			
4	9						5	1
			8	5	4			
8	2						6	5
	7			9			4	
9	8		2		5		3	4
3		1	4		7	2		6

Puzzle 201

						9		
	8	2	7					5
		6	3		9	2	7	
		8	9		7		4	
	3			4				
		4	1		8		5	
		3	4		2	8	9	
	7	5	8					4
					5			

Puzzle 202

					2			
	5	4					9	
3	8	9			5	1		2
7				3		2	6	
			2					
4				8		9	5	
9	6	3			1	4		8
	2	5					7	
				9				

Puzzle 203

								4
			5	6	9	3		
	8						6	
6	4		9				2	
7		2					1	
		3	4		7		5	
3	2		1	8				
	1	9			3	6		
		5		9	4			

Puzzle 204

		8			5		1	3
	2				4		9	
						6		
				7	2			
	6	5		3	1	8		2
		5			8		2	
	7	2				9	3	8
	1				7		6	

Puzzle 205

	5	8			2			6
	3			1		2		
						8	2	
		2		6	7		3	
	8			4		1	6	5
		6	4		1		9	
			3	5	8	6		
	4				9			8

Puzzle 206

8								
					7	5	3	
		3	8				2	
		5		8			7	
		7	9		2			
3	9			5		1		
6		2		1	8	9		
7			6					
9	5	8	3					6

Puzzle 207

9		2			5		4	
	7		9		3			
3			1	2				
	1	5			8	2	9	
		3			1		8	
7	8		6	4				
			4				6	
1			3	8		7	2	

Puzzle 208

4			6		1			5
	6	3				2	9	
	4		9		3		5	
	5	1				7	8	
				7				
7			2		5			1
9								7
5	1		8		7		3	6

Puzzle 209

		4				5		
6		7			5		8	
	9					3		1
		8	5	6			2	
			8		9			
9	5			2	7			
	1				3		9	8
2		3	6			1		
	8		2				3	

Puzzle 210

	5	6			3			
			6				1	
	8				7	3		
3			7		5		8	9
				9		5	6	
5			8		1		4	3
	1				9	8		
			1				9	
	2	3			4			

Puzzle 211

		1		7				
	3		8		6			9
		5		2	9	1		6
8		3					5	1
6	5					7		4
3		2	5	9		6		
7			6		2		1	
				4		2		

Puzzle 212

		9	3	5	2	1		
5								7
6								8
2			4		1			5
	5		2	8	9		3	
		1				4		
9		5		4		8		1
		2	9		7	5		

Puzzle 213

		2				6		
	5			1			8	
		6	4	7	2	5		
		1	5		4	9		
	9						1	
		7	8		1	4		
		9	2	4	7	8		
	3			6			4	
		8				7		

Puzzle 214

3						6		
				4		3	1	
		2					7	
		4			8		5	3
	1				2			
			4	5		1		7
9	7				4		3	
	5	6	8			2		9
			5		6		8	

217

Puzzle 215

	4		8			2		
	8	3						
6					2	8	9	
5					4	1	2	7
	2						6	
7					8	9	3	4
4					6	3	8	
	5	6						
	1		9			7		

Puzzle 216

			1		4			
	2		8		6		4	
1		8		9		2		3
	7	2				3	1	
8			4		2			9
		6	5		9	1		
		7				6		
	1	9				4	7	

Puzzle 217

		3				6		
			3		9			
	9						8	
				5				
4			9		3			7
7	3	1				9	5	6
		2	6		4	3		
1	4		5		7		9	2
	8						6	

Puzzle 218

3							5	
		7		8				
		8	9	1		3		
1				4	7			9
	7		1		8		2	
9			5	3				1
		1		2	4	8		
				7		2		
	9							3

Puzzle 219

5								
				5	1	6		
	7						2	
2	6		9				7	
			8				9	
7		9		1	2			
9	3		2					
6	8	2			5	7		
	5	7	6		8			2

222

Puzzle 220

		4				1		
6	2	7				4	5	8
			5		8			
5	9	1				8	4	7
3								6
		3		4		6		
	4		6		3		8	
		5	9	8	2	3		

Puzzle 221

		6				3		
	4		6		5		8	
	8	5				2	9	
		8	5	1	2	6		
	5		8		9		4	
			4		6			
	9						6	
			7		1			
1		3				8		5

Puzzle 222

	4					1		9
		1		8	4		6	
					5	3		
	5		6			8	9	1
7			5					
	6		2			4	7	5
					2	7		
		5		1	3		8	
	3					2		4

Puzzle 223

					6	7		
	7		3		4	2		
	4		2				1	6
7		3			5		8	1
6		8			9		3	7
	3		5				6	9
	6		8		3	5		
					1	3		

226

Puzzle 224

		1				7		
	2			8			6	
	3		1		2		5	
		7	2		1	3		
	1	2				5	8	
		9	5		8	1		
	4		6		5		7	
	7			1			3	
		5				2		

Puzzle 225

6	4				3		9	
		8						3
			6			8		
		6				1		8
5	8	1	4		2	9	6	7
7		3				4		
		9		5				
8						3		
	1		3				8	4

Puzzle 226

	9						1	
		7	9			3		8
	3	4			6	2		
			5	2	9	4		7
			4	7	1	8		2
	4	3			5	7		
		9	3			5		4
	5						2	

229

Puzzle 227

			2		7			
6				3				9
5								1
	2	8		9		4	5	
3								7
		1	4		3	2		
		5				6		
	3	7		8		5	1	
			7	4	5			

Puzzle 228

	6					2	8	5
	1		8	9				6
7					6			9
3				6		5		
			7		1		2	
	2	4		8			1	
8			6					
			4				3	2
		9			8	4		

Puzzle 229

			5					6
1	8				6			
						3	5	1
	7			8	1	2	4	9
8	2	6	9	5			1	
7	1	8						
		4					6	2
6					3			

Puzzle 230

		2				5		
	4						3	
			9	2	5			
		6	7		3	4		
7			8		6			2
5		9				8		6
6	8		3		7		2	5
4								1

Puzzle 231

	7	9						4
	1	8	7		4	3	5	
		7		6	5		3	
5	3						1	7
	8		2	3		5		
	2	3	8		1	6	9	
8						4	7	

Puzzle 232

		1						
	4				1	3		5
	9	8	6		5			
9		4		8			1	2
				7				
8		3		1			7	4
	8	2	4		9			
	6				8	5		7
		5						

Puzzle 233

		7				8		
			3	5	1			
	1						5	
7				8				6
1								9
		2	4		7	5		
		5	1		3	6		
9								7
	4	3	2		6	1	9	

Puzzle 234

			1					3
	1							5
			7	9		4	6	
8		3		2				4
		9	5			6		
					4	2	3	9
		8		5	1		9	
		1			6	3		
5	9		3		7			

Puzzle 235

					4		3	
	8							4
				7	2			
	4				9	5		8
			4			1		
7		1	8	3				
6		8	1					
5					6		2	
9	7	4	5					

238

Puzzle 236

					9			
		5			7	3		8
8		1	4	3				
5					2			9
		3	9	8	6	5		
4			5					6
				6	1	9		4
9		6	7			8		
			2					

Puzzle 237

					8	6		2
5		1		9			7	3
								9
	9				6			
2		6	7		4	1		5
			8				6	
4								
7	6			5		2		1
8		5	2					

Puzzle 238

		6				4		
2								3
	2	7	1		3	5	6	
	1		5		6		4	
		9	8		2	3		
	6			5			2	
	8		2	1	7		3	
	7		4		8		5	

Puzzle 239

7			4	2	9	8		
2			6	7			5	
	4			5	8		6	
	7	2		3	6	5	8	
						1	3	
	8			9				
		6		8	2			
						3	4	

Puzzle 240

		5				6		
8			6		9			1
	4			3			2	
		9	2		4	1		
			1		8			
	3	1		2		4	8	
9								5
	8	7	4		3	9	6	

Puzzle 241

							1	
					8			4
	1		5		2			
		1	9	8		4	3	
5		4			7			
		6			1	2		
3	5		1	7	6			
9		2				1		
	6	7		9				

Puzzle 242

		2	7			6		
				1				
7				9		8		
				5	8	1		
6		8	7					3
	1		6			2		7
		6	1		9			
2								5
			4	3		7		

Puzzle 243

8		7				2		4
	5	4				1	9	
	9	6				3	1	
		3	5		9	8		
		2				7		
	7		8		6		3	
			1		2			
	3	1		4		9	8	

Puzzle 244

			6		7			
				1		8	5	4
				8	2			
1								7
	2	8					4	
7		4					9	
	7						2	5
	8		9	5	1			3
	3		1			9	6	

Puzzle 245

		9	8					2
							3	
	2	6				4	8	
3	7				9	1		
	6			7			4	
4	5				2	6		
	8	4				2	5	
							1	
		7	2					8

Puzzle 246

					5			3
8	1						5	
2	4		9			6	7	
	2			5				1
	5			2			9	
9				4			6	
	9	8			2		3	6
	3						4	9
4			3					

Puzzle 247

				7				
2		3		8		5		1
6			1		4			9
	3	1				8	9	
7		4	5		1	6		2
3	5		4		6		2	8
	2		8		3		6	

Puzzle 248

				2				8
3				2				8
	7	1				9	3	
			8		9			
	9	5				2	1	
	6		2		1		7	
9								6
		4				3		
1	3		9	8	7		4	2

Puzzle 249

8			6		2			1
	6	1				5	7	
		7	1		3	2		
			2		9			
6	7						1	9
3			9		7			6
	8						9	
			3	1	5			

Puzzle 250

			2					
	8	5		7	4	2		
	1			5		3		
5					2	6		1
	2		7		6		3	
6		4	9					2
		3		9			2	
		8	3	2		5	9	
				7				

Puzzle 251

		4			5		7	
1			2					
	3	5	6		4			9
				2		8	6	
	9			1	7			
				5		4	9	
	8	6	5		1			2
5			7					
		1			3		8	

Puzzle 252

							7	
		1	4	3				5
			2	9		3		
				4				
		9	8		2	1	3	
6	3		1	7		9	8	
	5			1			9	
1		2	6					
	6		9					

Puzzle 253

						4		
3			8	9	2			
					3			7
			7	5		2	4	
	9			4	6		8	
		8			9		5	
8	6		3					
9		1		6				
7	3	2					1	

Puzzle 254

							4	
		6			4			3
	2		6		1		7	8
3						2		7
		7	3	9	2	8		
8		2						6
5	4		2		8		1	
9			7			3		
	7							

257

Puzzle 255

		8	2	5	6	1		
		2	1		7	8		
8								3
	4						8	
		7	4		5	2		
	7		8		9		6	
	5		6		4		7	
6			5		2			9

Puzzle 256

			3					1
9		1			2			
4	5				7	6		8
2	4			5	3			
		6	7				4	5
1		2	8				5	4
			5			1		3
5					6			

Puzzle 257

		8	4		9	3		
		9				1		
9	3		1		6		4	8
	1	7		8		6	5	
			5		7			
2	7						3	9
		6	2		8	4		
	5						6	

Puzzle 258

			6			9	3	5
		1	2					
	9		7		8			
8	7	9				4	5	
								8
		3					2	
2			5			3	7	
1			9		4	5		6
9				3			4	

Puzzle 259

	5				3		2	
6				1	2	9		8
		2	4					5
		7			9		6	
	9					1		
4	1		2			7		
	6			7	5		3	
3			9			4		
	7	1						

Puzzle 260

		3			6			
	5			9		8	4	7
		7		5				6
	8					5	6	
	6		9		3			
	3					9	7	
		1		3				5
	9			4		7	1	2
		4			7			

Puzzle 261

		8		2				
	1				9			2
			6		4		5	8
		4	8	3			1	
6							4	
		2	4	7			3	
			2		3		7	5
	2				7			4
		1		9				

Puzzle 262

	3	9				1	2	
			8		3			
				2				
5		8				6		1
	7		6		5		8	
		6		4		7		
7								9
8		5	4		2	3		6
	1		5		6		4	

Puzzle 263

							6	9
					3		4	
		5	4		9	3	2	
8	5			2		9		
		6		5		2		
		4		3			7	8
	4	9	3		5	1		
	8		2					
1	7							

Puzzle 264

	5							
		9					2	
		8	6	3	5			
	4		5	8		2		
			3		1	4		
9				6	2	3		
2						1	3	
8					6			9
6	1	4	7					

Puzzle 265

		9		8				
							5	3
6			3					7
		4		2		3		
2			6		9		4	5
				7				1
			7			9		4
	2			6			1	
	9	5		3	1	6		

Puzzle 266

								2
			6	4	2		7	
	4	8	7	5				
	8		2	3			5	
4					7	1	6	
	5				4	9	2	
	3					2		
9		5	8		1	3		
	1			7				

Puzzle 267

				7			4	
			4		9	1	3	5
		1			4			
	4			6		3		
		9	5				7	4
		4		2			5	
	1	3			7	4	9	
		2			6			1

Puzzle 268

			6				
		7		8			5
4	2	5			3	8	
7	9		2			5	
5				9			
6	8		5			4	
3	4	1			2	6	
			3		7		9
			5				

Puzzle 269

			2	7		8	3	
	4	3			5		7	
		6	4			5		
			8	4	9		2	
			7	5	2		4	
		9	5			3		
	5	1			7		6	
			3	2		9	8	

272

Puzzle 270

	5			8		7		
9					3			
			4		1			
		5	8	1			4	6
6			5			1		3
	7	2				5		8
5				3	8			2
			2					
			7	6	4	3		

Puzzle 271

				2		4		
	3			7		2		
	5	1	8			6	7	
					4	3		
1			3		2			5
		5	6					
	4	6			7	1	9	
		9		8			6	
		3		6				

Puzzle 272

7								
8	6		3		5			
	5			6	9			
		1				4	2	
		7	2			6		
2	9			8			5	
				3	8			
6	4		5			1	8	
	7		6				3	4

Puzzle 273

		1		2				
7				8				3
		6	3		7	8		4
	4		6					9
						5		
	2		5					8
		2	8		5	9		7
8				3				5
		7		4				

Puzzle 274

					8			
		8		1	6		7	3
	7							2
					3		9	
	1				2	7		8
3	6		8	7				
				8			6	7
	5		9			3	2	
	3	4		6		5		

Puzzle 275

	8							
9				3				4
		3	5	4				9
		6				9		5
	5	8			4	6	7	3
				1				
			3	9			4	6
				5		7		
	6	1	4	8		5		

Puzzle 276

		5					3	
			2	7	6	9		4
	2						8	
	5	2		4			6	
					5		7	
4	7	8					9	
			1		2			6
8			6		3	7		
	9		7					

Puzzle 277

				7				4
8			2	1			6	
9					8	5		7
		1	7	8				
		9				8		
			9	1	3			
6		7	8					1
	9			6	2			5
2			3					

Puzzle 278

						8	7	
		8	2		1			5
	7	6						9
7		4		6			2	
			4		7			
	5			1			8	
9					4	2	5	
8			1			7		
4	6	7			3			

Puzzle 279

			4					
	9	4		2	6			
7				3			1	4
9	1	8					2	
2	6						9	8
	5					1	6	3
8	2			4				1
			1	7		6	5	
				3				

Puzzle 280

			8	4				
9	4	7			3			
6				2				
					2		7	
		1				6		3
	8	9						1
			1	5			8	
7	2		6				1	
	1					3	4	

Puzzle 281

	3					6		
7		9			5		4	
	6				2			5
				8	3		1	
			2					
	5	1	9			3	2	
5					6		3	4
	2		8		4	1	5	
		8				7		

Puzzle 282

			1		2			
1								5
3								8
			6		7			
		1				7		
5			4		8			1
4		7	5		9	3		2
8				4				7
	5	3		7		6	8	

Puzzle 283

	6	4						
	9		5		3		1	7
		7			5	1		
				9		7		2
		5	6			3		
			2	7	1	6	3	
		8				2		4
		6		8			9	

Puzzle 284

					7		9	
			3	6				2
	3	8	5					
		1						8
8	9		2				7	
		5	9	8		2	3	
5			1		2	6		
				7		3		
1		3		5				

Puzzle 285

							6	
9						8		2
3			2		8		5	
		5				6		
6	1	3	9	4				
2				5		4		
	5			9	3			
7		9		2				
1	3		5	6		2	9	

Puzzle 286

		7				8		
	3		7		1		5	
	9						2	
		9	5		8	1		
5			6	2	3			8
4			2		7			6
		6				4		
3	8		4		6		9	7

Puzzle 287

5		2				8		4
			2		7			
9								2
		1	5		8	7		
7		6	1		3	4		8
	3		8		5		2	
		5				1		
		8	7		2	6		

Puzzle 288

7								6
		2	6		7	3		
		9				4		
		3				7		
9			1		6			5
4			2		3			8
	9		4		8		1	
		1		2		5		
5	2						7	9

Puzzle 289

	6					9	7	
					4		2	
				7	6	3		5
	4			3		1		
5		1				2		8
		8		5			6	
9		4	7	1				
	1		6					
	3	2					9	

Puzzle 290

8	2						3	4
			2		1			
	3	4		6		2	5	
2	1	6				9	4	8
	7		6		5		9	
	4						7	
3	8		9		2		6	1

Puzzle 291

9								5
6			9		8			4
		5				8		
	1		4	9	6		7	
5			3		7			2
1		2		6		9		8
		9	1		2	3		
		6		3		4		

Puzzle 292

							8	
3		8	1					
1	4		3	2		7		
2		4		1			5	
5						6	2	
9		1		3			7	
4	9		6	8		5		
6		3	5					
							4	

Puzzle 293

8			7		9			
		1		3	8			
		4	6			8	3	
6			2			7		
7			5	8	3		1	
	6				1	5		
9	2	5						
	4		3	2			8	

Puzzle 294

					1			9
		8		9				
	9	2		5	6	4		
	2					8		1
5			6			2	3	
	3			8				
4	5					7	2	
	7	3	9		8	5		
		6		2				

Puzzle 295

		5	9				4	
			1	8			2	5
					4			
9		6		4		8		
	3	8			7		6	
							3	7
	6			9	8			1
5	2	9		7				
	4			5				

Puzzle 296

		5		7	9	3		1
4	9	3						
9				8	3	7	2	
				2	7	4	8	
2				6	5	9	1	
6	3	2						
		4		1	6	2		7

Puzzle 297

5								
		6				2		7
	7	4	9			8		3
		1			2			
					1	4	3	
			5	7		6		8
	6	5		2	9		4	
				6		7		
	9	7			4			

Puzzle 298

5		2						9
				8			3	
	4				9	8	7	5
2		8					9	
	9	5						6
7		6					8	
	2				6	3	5	4
				2			1	
8		7						2

Puzzle 299

	9		5			2		
			7					5
3	5		2		9	1		
		3	6		7			1
				5				4
		4	9		1			8
4	8		3		2	5		
			1					9
	3		4			7		

Puzzle 300

							9	
	4	5						3
	9		2		5			
4		1		9		7		
			8		4			
2			7	5		3		
9	2				8		5	
		3				8	4	
		7	5		1			

SOLUTIONS

1

6	9	1	3	2	5	8	4	7
3	7	4	1	8	6	5	9	2
8	5	2	7	9	4	1	3	6
4	1	6	8	5	7	3	2	9
2	8	9	4	6	3	7	5	1
7	3	5	9	1	2	6	8	4
5	6	7	2	3	9	4	1	8
1	2	3	6	4	8	9	7	5
9	4	8	5	7	1	2	6	3

2

3	4	1	8	7	6	2	5	9
5	9	7	4	3	2	1	6	8
2	6	8	5	1	9	3	4	7
1	5	3	6	9	7	4	8	2
4	2	9	3	8	1	5	7	6
7	8	6	2	4	5	9	1	3
9	7	5	1	2	8	6	3	4
8	1	4	9	6	3	7	2	5
6	3	2	7	5	4	8	9	1

3

6	7	8	2	5	4	3	9	1
1	4	5	3	7	9	6	2	8
9	2	3	8	1	6	5	4	7
3	6	7	5	9	8	4	1	2
2	8	4	1	3	7	9	6	5
5	9	1	4	6	2	7	8	3
7	5	6	9	8	1	2	3	4
4	1	9	7	2	3	8	5	6
8	3	2	6	4	5	1	7	9

4

4	8	3	7	5	2	6	1	9
7	2	5	1	6	9	4	8	3
6	1	9	4	8	3	7	2	5
8	5	1	3	2	6	9	4	7
3	7	6	8	9	4	1	5	2
9	4	2	5	7	1	3	6	8
2	3	7	6	1	8	5	9	4
1	9	4	2	3	5	8	7	6
5	6	8	9	4	7	2	3	1

5

4	9	7	6	2	8	3	5	1
5	8	3	1	4	9	2	6	7
6	1	2	7	3	5	4	8	9
3	6	5	4	1	2	7	9	8
7	4	9	8	5	3	6	1	2
1	2	8	9	7	6	5	4	3
8	3	4	2	6	1	9	7	5
2	7	1	5	9	4	8	3	6
9	5	6	3	8	7	1	2	4

6

1	6	3	8	7	5	9	2	4
4	5	7	9	2	3	8	6	1
9	8	2	4	6	1	5	7	3
6	4	1	7	5	8	2	3	9
5	2	9	3	1	4	6	8	7
3	7	8	6	9	2	1	4	5
7	9	5	2	4	6	3	1	8
8	1	6	5	3	7	4	9	2
2	3	4	1	8	9	7	5	6

7

5	7	3	6	9	1	2	4	8
2	4	1	3	8	5	6	9	7
9	6	8	2	7	4	5	3	1
7	8	9	4	5	6	3	1	2
3	2	4	7	1	8	9	5	6
1	5	6	9	2	3	8	7	4
8	3	7	1	6	9	4	2	5
6	9	2	5	4	7	1	8	3
4	1	5	8	3	2	7	6	9

8

8	9	2	5	7	4	1	3	6
7	6	3	1	2	8	4	5	9
5	1	4	9	6	3	2	7	8
2	4	6	8	3	7	5	9	1
9	3	7	4	1	5	6	8	2
1	5	8	6	9	2	3	4	7
3	8	1	2	4	9	7	6	5
4	2	5	7	8	6	9	1	3
6	7	9	3	5	1	8	2	4

9

3	2	5	4	8	9	7	6	1
1	6	8	7	2	3	9	4	5
4	7	9	5	1	6	2	8	3
2	8	6	3	9	7	5	1	4
9	5	3	1	4	2	6	7	8
7	1	4	6	5	8	3	9	2
8	9	7	2	3	1	4	5	6
5	3	1	9	6	4	8	2	7
6	4	2	8	7	5	1	3	9

10

1	9	5	4	2	8	7	6	3
3	6	4	5	1	7	9	8	2
2	8	7	6	3	9	4	5	1
4	3	1	9	5	2	8	7	6
5	7	9	3	8	6	2	1	4
8	2	6	7	4	1	3	9	5
7	4	3	1	9	5	6	2	8
6	5	2	8	7	3	1	4	9
9	1	8	2	6	4	5	3	7

11

4	8	2	3	5	9	7	1	6
6	7	1	8	2	4	5	3	9
9	5	3	6	7	1	4	2	8
1	3	4	9	8	6	2	5	7
7	2	8	4	1	5	9	6	3
5	6	9	2	3	7	1	8	4
2	9	7	5	6	8	3	4	1
3	4	6	1	9	2	8	7	5
8	1	5	7	4	3	6	9	2

12

5	3	4	8	6	7	9	2	1
9	8	7	2	4	1	6	3	5
2	1	6	9	3	5	8	4	7
7	2	3	6	5	4	1	9	8
6	5	9	1	8	3	4	7	2
8	4	1	7	2	9	5	6	3
3	7	5	4	1	6	2	8	9
1	6	8	3	9	2	7	5	4
4	9	2	5	7	8	3	1	6

13

3	7	5	4	9	2	1	6	8
9	4	1	7	6	8	5	2	3
6	2	8	5	1	3	7	4	9
7	3	6	9	2	1	4	8	5
1	5	2	8	4	7	9	3	6
4	8	9	3	5	6	2	7	1
5	9	3	6	7	4	8	1	2
2	6	7	1	8	5	3	9	4
8	1	4	2	3	9	6	5	7

14

4	7	5	8	2	1	3	9	6
9	3	2	5	6	4	1	8	7
8	1	6	9	7	3	2	4	5
3	4	8	6	5	7	9	2	1
5	2	7	1	8	9	6	3	4
1	6	9	3	4	2	7	5	8
6	9	4	2	1	5	8	7	3
7	8	3	4	9	6	5	1	2
2	5	1	7	3	8	4	6	9

15

1	7	2	6	3	5	4	8	9
9	8	5	7	1	4	6	3	2
3	4	6	9	2	8	5	7	1
7	1	4	3	9	6	2	5	8
2	6	8	4	5	1	3	9	7
5	9	3	2	8	7	1	6	4
4	3	1	5	7	9	8	2	6
8	5	7	1	6	2	9	4	3
6	2	9	8	4	3	7	1	5

16

8	6	1	9	2	4	3	5	7
4	7	3	1	8	5	6	2	9
5	9	2	7	3	6	4	1	8
6	3	5	4	1	9	7	8	2
7	4	9	8	6	2	1	3	5
1	2	8	3	5	7	9	4	6
3	1	6	5	7	8	2	9	4
9	5	7	2	4	1	8	6	3
2	8	4	6	9	3	5	7	1

17

6	4	1	5	3	9	8	7	2
2	5	9	7	8	1	4	6	3
8	7	3	6	2	4	9	5	1
1	8	7	4	5	2	6	3	9
3	6	5	9	1	8	2	4	7
9	2	4	3	6	7	1	8	5
4	3	8	1	9	5	7	2	6
5	1	2	8	7	6	3	9	4
7	9	6	2	4	3	5	1	8

18

4	3	2	9	7	1	8	5	6
7	8	5	2	4	6	9	3	1
9	6	1	3	5	8	2	7	4
2	7	3	5	8	4	6	1	9
6	4	9	7	1	2	5	8	3
5	1	8	6	3	9	4	2	7
8	5	6	1	9	3	7	4	2
3	2	7	4	6	5	1	9	8
1	9	4	8	2	7	3	6	5

19

4	8	1	5	9	3	6	2	7
6	2	9	8	1	7	5	3	4
5	7	3	4	2	6	8	1	9
1	3	7	6	4	9	2	8	5
8	5	4	7	3	2	1	9	6
9	6	2	1	8	5	4	7	3
7	4	8	3	6	1	9	5	2
3	9	6	2	5	8	7	4	1
2	1	5	9	7	4	3	6	8

20

9	1	6	5	7	2	3	8	4
5	3	4	9	1	8	6	2	7
8	7	2	6	3	4	1	5	9
6	8	1	7	4	9	5	3	2
7	2	9	1	5	3	8	4	6
4	5	3	2	8	6	7	9	1
2	4	7	8	6	5	9	1	3
1	9	8	3	2	7	4	6	5
3	6	5	4	9	1	2	7	8

21

4	1	2	5	8	7	3	9	6
8	3	9	6	1	2	5	4	7
6	5	7	4	3	9	2	1	8
9	7	4	3	2	8	6	5	1
2	6	5	9	4	1	7	8	3
3	8	1	7	6	5	4	2	9
7	4	8	2	9	3	1	6	5
1	2	3	8	5	6	9	7	4
5	9	6	1	7	4	8	3	2

22

7	8	5	4	6	2	1	9	3
4	6	3	7	1	9	5	8	2
1	9	2	3	8	5	7	6	4
3	5	4	6	2	8	9	7	1
2	1	6	9	4	7	8	3	5
8	7	9	5	3	1	2	4	6
9	4	1	8	5	3	6	2	7
6	2	8	1	7	4	3	5	9
5	3	7	2	9	6	4	1	8

23

1	8	7	4	5	2	3	6	9
2	9	4	6	3	1	5	7	8
3	5	6	9	8	7	1	2	4
6	7	1	2	4	9	8	5	3
5	3	9	1	7	8	2	4	6
8	4	2	5	6	3	9	1	7
9	6	8	7	2	5	4	3	1
4	2	3	8	1	6	7	9	5
7	1	5	3	9	4	6	8	2

24

7	3	4	9	2	5	1	6	8
9	1	5	8	3	6	2	7	4
6	2	8	1	4	7	3	5	9
3	7	6	4	1	2	9	8	5
8	4	1	3	5	9	6	2	7
5	9	2	7	6	8	4	1	3
2	5	3	6	8	4	7	9	1
1	8	7	2	9	3	5	4	6
4	6	9	5	7	1	8	3	2

25

8	6	5	3	9	2	1	7	4
4	2	9	7	8	1	5	3	6
7	3	1	6	5	4	2	9	8
1	9	3	8	2	5	4	6	7
5	4	7	1	6	9	8	2	3
6	8	2	4	7	3	9	1	5
3	1	8	9	4	6	7	5	2
9	5	4	2	3	7	6	8	1
2	7	6	5	1	8	3	4	9

26

8	4	5	6	3	9	2	1	7
1	3	2	4	8	7	6	9	5
9	6	7	1	2	5	4	8	3
4	5	8	2	6	3	1	7	9
7	1	3	9	5	4	8	2	6
6	2	9	8	7	1	5	3	4
5	9	1	7	4	8	3	6	2
2	8	4	3	9	6	7	5	1
3	7	6	5	1	2	9	4	8

27

3	7	9	2	8	4	5	1	6
5	4	1	6	3	7	2	8	9
6	8	2	1	5	9	4	7	3
4	9	5	7	1	8	3	6	2
8	1	6	4	2	3	7	9	5
2	3	7	5	9	6	8	4	1
1	6	8	3	7	2	9	5	4
9	2	4	8	6	5	1	3	7
7	5	3	9	4	1	6	2	8

28

9	1	8	6	7	5	3	2	4
7	4	6	2	8	3	9	5	1
3	5	2	9	1	4	6	8	7
1	7	4	5	9	8	2	3	6
6	8	9	3	2	7	4	1	5
5	2	3	1	4	6	8	7	9
8	9	1	7	6	2	5	4	3
4	3	7	8	5	9	1	6	2
2	6	5	4	3	1	7	9	8

29

7	6	4	3	5	1	2	9	8
2	3	5	8	9	6	4	7	1
9	8	1	4	2	7	5	3	6
8	5	7	1	6	9	3	2	4
1	4	3	2	7	8	9	6	5
6	2	9	5	3	4	8	1	7
5	9	6	7	4	2	1	8	3
3	7	8	9	1	5	6	4	2
4	1	2	6	8	3	7	5	9

30

1	2	4	9	8	3	6	7	5
5	9	8	7	6	2	3	4	1
3	7	6	1	5	4	8	2	9
9	3	5	2	1	6	7	8	4
6	8	1	4	7	9	5	3	2
2	4	7	8	3	5	9	1	6
4	5	3	6	2	7	1	9	8
7	1	2	5	9	8	4	6	3
8	6	9	3	4	1	2	5	7

31

8	3	2	5	4	1	6	7	9
5	9	1	7	6	3	2	4	8
4	7	6	8	2	9	5	1	3
9	6	3	4	7	2	8	5	1
2	5	7	1	3	8	4	9	6
1	8	4	9	5	6	3	2	7
6	4	5	3	1	7	9	8	2
7	2	8	6	9	4	1	3	5
3	1	9	2	8	5	7	6	4

32

6	3	9	2	7	1	8	4	5
1	5	4	8	9	6	3	2	7
2	7	8	4	5	3	1	9	6
5	4	7	9	8	2	6	1	3
8	9	1	6	3	7	4	5	2
3	6	2	1	4	5	9	7	8
9	1	6	5	2	8	7	3	4
4	2	3	7	6	9	5	8	1
7	8	5	3	1	4	2	6	9

33

5	2	3	1	8	6	4	7	9
7	9	1	2	4	5	8	6	3
8	4	6	9	7	3	5	1	2
6	5	9	7	2	8	3	4	1
2	1	8	4	3	9	6	5	7
3	7	4	5	6	1	2	9	8
9	6	5	3	1	2	7	8	4
1	3	7	8	5	4	9	2	6
4	8	2	6	9	7	1	3	5

34

5	7	3	6	4	1	2	8	9
6	9	4	8	7	2	5	3	1
1	8	2	5	9	3	4	7	6
7	6	1	3	2	4	9	5	8
3	4	8	9	5	6	1	2	7
2	5	9	7	1	8	3	6	4
9	2	7	4	8	5	6	1	3
8	1	6	2	3	9	7	4	5
4	3	5	1	6	7	8	9	2

35

9	8	7	6	3	4	5	2	1
5	4	2	9	8	1	7	6	3
6	1	3	5	7	2	4	8	9
3	6	5	7	4	9	2	1	8
2	7	1	8	5	6	3	9	4
8	9	4	2	1	3	6	5	7
7	2	9	4	6	8	1	3	5
4	3	6	1	9	5	8	7	2
1	5	8	3	2	7	9	4	6

36

7	1	2	5	3	6	4	8	9
4	3	8	9	2	1	7	6	5
9	5	6	4	7	8	1	2	3
6	7	9	1	5	3	8	4	2
3	8	1	2	6	4	5	9	7
5	2	4	8	9	7	3	1	6
2	4	3	6	1	5	9	7	8
1	6	5	7	8	9	2	3	4
8	9	7	3	4	2	6	5	1

37

6	2	4	5	9	1	3	8	7
3	1	5	8	4	7	2	6	9
8	9	7	3	6	2	1	5	4
4	3	1	2	5	6	7	9	8
7	8	6	9	1	3	4	2	5
2	5	9	4	7	8	6	3	1
5	4	2	1	3	9	8	7	6
1	6	8	7	2	5	9	4	3
9	7	3	6	8	4	5	1	2

38

2	6	5	1	7	4	3	8	9
8	1	4	9	2	3	6	5	7
3	9	7	5	6	8	2	1	4
6	7	1	2	5	9	8	4	3
9	2	3	4	8	6	5	7	1
5	4	8	3	1	7	9	2	6
7	5	2	6	9	1	4	3	8
4	8	6	7	3	5	1	9	2
1	3	9	8	4	2	7	6	5

39

4	1	7	6	9	8	2	5	3
9	6	5	2	3	7	1	8	4
8	2	3	4	1	5	9	7	6
1	4	6	5	8	3	7	9	2
7	5	8	9	6	2	4	3	1
3	9	2	7	4	1	8	6	5
6	7	1	8	5	4	3	2	9
5	8	4	3	2	9	6	1	7
2	3	9	1	7	6	5	4	8

40

4	8	6	5	3	2	7	9	1
9	3	1	4	6	7	8	5	2
5	7	2	9	8	1	4	6	3
7	5	3	8	9	4	1	2	6
1	2	8	7	5	6	3	4	9
6	4	9	1	2	3	5	7	8
2	9	4	3	7	8	6	1	5
3	6	7	2	1	5	9	8	4
8	1	5	6	4	9	2	3	7

41

1	8	6	7	4	3	9	5	2
5	3	7	8	2	9	6	1	4
9	4	2	5	1	6	3	7	8
6	9	3	4	5	7	8	2	1
7	1	8	9	6	2	4	3	5
2	5	4	3	8	1	7	6	9
4	7	5	2	3	8	1	9	6
3	2	1	6	9	4	5	8	7
8	6	9	1	7	5	2	4	3

42

8	5	2	6	1	4	7	3	9
3	1	6	7	5	9	8	2	4
7	9	4	2	3	8	1	6	5
9	7	1	5	4	6	2	8	3
2	4	3	1	8	7	5	9	6
5	6	8	3	9	2	4	1	7
1	3	7	8	6	5	9	4	2
6	2	9	4	7	1	3	5	8
4	8	5	9	2	3	6	7	1

43

6	2	1	3	4	8	7	9	5
9	3	5	6	7	2	4	1	8
4	8	7	9	5	1	3	6	2
3	4	8	7	6	5	1	2	9
1	5	2	8	9	4	6	7	3
7	9	6	1	2	3	5	8	4
2	7	3	5	1	9	8	4	6
5	6	4	2	8	7	9	3	1
8	1	9	4	3	6	2	5	7

44

4	3	8	7	9	5	2	1	6
6	2	7	8	3	1	4	9	5
9	5	1	4	6	2	7	3	8
3	1	4	9	2	8	5	6	7
2	8	9	5	7	6	1	4	3
7	6	5	1	4	3	8	2	9
5	7	2	6	1	9	3	8	4
8	9	3	2	5	4	6	7	1
1	4	6	3	8	7	9	5	2

45

1	2	5	9	7	3	4	6	8
8	3	9	6	5	4	2	1	7
4	6	7	1	2	8	5	9	3
9	8	4	5	6	2	7	3	1
7	5	2	3	8	1	6	4	9
6	1	3	7	4	9	8	2	5
3	7	6	4	1	5	9	8	2
2	4	1	8	9	7	3	5	6
5	9	8	2	3	6	1	7	4

46

7	4	9	3	8	1	2	5	6
8	6	2	9	5	7	4	3	1
3	1	5	2	4	6	8	7	9
9	3	1	6	7	8	5	4	2
5	8	4	1	2	3	6	9	7
6	2	7	5	9	4	3	1	8
4	9	3	7	6	2	1	8	5
2	5	8	4	1	9	7	6	3
1	7	6	8	3	5	9	2	4

47

5	8	2	6	3	4	7	1	9
9	1	3	5	2	7	8	6	4
6	4	7	9	8	1	2	3	5
7	2	6	4	9	3	1	5	8
3	5	1	2	6	8	4	9	7
8	9	4	1	7	5	3	2	6
4	6	9	8	1	2	5	7	3
2	7	8	3	5	9	6	4	1
1	3	5	7	4	6	9	8	2

48

8	4	6	1	2	3	5	9	7
2	5	7	8	6	9	3	1	4
9	3	1	4	5	7	8	2	6
6	8	9	5	3	2	4	7	1
7	1	5	9	4	8	2	6	3
3	2	4	6	7	1	9	8	5
4	9	8	3	1	6	7	5	2
5	6	2	7	9	4	1	3	8
1	7	3	2	8	5	6	4	9

49

4	3	5	1	2	7	8	6	9
7	8	2	4	9	6	1	5	3
1	9	6	8	3	5	2	7	4
6	1	4	7	8	3	5	9	2
8	2	3	9	5	4	7	1	6
9	5	7	2	6	1	3	4	8
5	6	8	3	1	9	4	2	7
2	7	9	5	4	8	6	3	1
3	4	1	6	7	2	9	8	5

50

4	7	6	3	1	8	2	5	9
2	5	8	7	6	9	3	1	4
3	1	9	4	5	2	6	7	8
1	4	2	5	8	3	7	9	6
7	8	3	6	9	4	5	2	1
9	6	5	1	2	7	4	8	3
8	2	7	9	3	6	1	4	5
5	3	4	8	7	1	9	6	2
6	9	1	2	4	5	8	3	7

51

7	2	6	4	5	9	1	8	3
3	5	8	1	6	7	4	9	2
1	4	9	3	2	8	7	6	5
2	8	4	7	1	6	3	5	9
5	3	7	8	9	4	6	2	1
9	6	1	2	3	5	8	7	4
4	9	2	6	8	1	5	3	7
6	7	3	5	4	2	9	1	8
8	1	5	9	7	3	2	4	6

52

7	2	3	8	1	9	4	5	6
4	8	6	3	5	7	2	9	1
1	5	9	6	2	4	3	7	8
9	7	5	2	3	6	1	8	4
6	4	8	9	7	1	5	2	3
3	1	2	4	8	5	7	6	9
8	3	4	7	9	2	6	1	5
5	6	7	1	4	8	9	3	2
2	9	1	5	6	3	8	4	7

53

6	2	4	1	7	8	5	9	3
3	8	1	4	5	9	2	7	6
9	7	5	6	3	2	4	8	1
7	4	9	3	6	1	8	2	5
8	1	6	2	9	5	3	4	7
5	3	2	7	8	4	6	1	9
2	5	7	9	4	3	1	6	8
4	9	3	8	1	6	7	5	2
1	6	8	5	2	7	9	3	4

54

1	9	6	2	4	8	7	5	3
7	8	4	3	1	5	6	2	9
3	5	2	9	6	7	8	4	1
6	4	5	1	3	9	2	7	8
2	1	8	5	7	6	3	9	4
9	3	7	4	8	2	5	1	6
8	6	9	7	2	4	1	3	5
5	2	1	8	9	3	4	6	7
4	7	3	6	5	1	9	8	2

55

7	4	9	5	8	2	1	6	3
1	5	3	6	7	9	2	8	4
2	6	8	3	4	1	9	7	5
8	2	6	9	1	5	4	3	7
9	1	7	8	3	4	5	2	6
5	3	4	7	2	6	8	9	1
4	8	5	2	6	3	7	1	9
3	9	2	1	5	7	6	4	8
6	7	1	4	9	8	3	5	2

56

6	2	4	3	1	7	9	5	8
1	9	3	2	5	8	4	7	6
7	8	5	9	4	6	2	1	3
4	6	8	1	7	5	3	9	2
3	5	7	6	2	9	8	4	1
2	1	9	8	3	4	5	6	7
8	4	1	7	9	3	6	2	5
9	7	6	5	8	2	1	3	4
5	3	2	4	6	1	7	8	9

57

1	4	2	5	3	9	6	8	7
5	9	7	6	1	8	3	2	4
8	6	3	2	4	7	1	5	9
3	8	9	4	6	5	7	1	2
6	1	4	7	9	2	8	3	5
2	7	5	3	8	1	4	9	6
9	5	8	1	7	4	2	6	3
4	2	6	8	5	3	9	7	1
7	3	1	9	2	6	5	4	8

58

8	9	2	6	4	7	3	1	5
3	4	6	5	1	9	2	8	7
7	1	5	2	3	8	4	6	9
6	3	7	4	9	1	5	2	8
9	5	8	7	2	6	1	3	4
1	2	4	8	5	3	9	7	6
5	8	1	3	6	4	7	9	2
4	6	9	1	7	2	8	5	3
2	7	3	9	8	5	6	4	1

59

3	9	7	5	1	4	8	6	2
2	4	5	8	6	3	7	9	1
6	1	8	9	7	2	3	4	5
5	3	6	1	8	9	2	7	4
8	2	1	4	3	7	9	5	6
4	7	9	6	2	5	1	3	8
7	5	4	2	9	1	6	8	3
1	6	3	7	4	8	5	2	9
9	8	2	3	5	6	4	1	7

60

9	4	7	2	8	3	5	6	1
5	8	1	7	6	9	3	4	2
6	2	3	1	4	5	9	8	7
8	7	6	3	9	2	4	1	5
2	1	9	8	5	4	6	7	3
4	3	5	6	7	1	2	9	8
3	6	2	9	1	7	8	5	4
1	5	8	4	3	6	7	2	9
7	9	4	5	2	8	1	3	6

61

3	6	7	8	4	5	9	2	1
8	5	4	1	2	9	7	3	6
2	9	1	3	6	7	4	5	8
5	3	9	4	1	6	8	7	2
7	1	2	9	3	8	6	4	5
6	4	8	5	7	2	1	9	3
1	2	3	6	9	4	5	8	7
9	8	6	7	5	3	2	1	4
4	7	5	2	8	1	3	6	9

62

1	3	8	2	6	5	7	4	9
7	5	9	4	1	3	6	2	8
2	4	6	7	8	9	1	5	3
6	9	2	5	3	1	8	7	4
3	7	5	8	4	6	2	9	1
4	8	1	9	7	2	3	6	5
5	6	4	1	2	8	9	3	7
9	1	3	6	5	7	4	8	2
8	2	7	3	9	4	5	1	6

63

9	6	8	2	5	4	7	1	3
5	4	2	7	3	1	8	6	9
7	1	3	8	6	9	2	4	5
6	2	1	9	8	5	3	7	4
4	8	5	3	2	7	1	9	6
3	7	9	1	4	6	5	2	8
2	5	6	4	7	3	9	8	1
8	9	4	5	1	2	6	3	7
1	3	7	6	9	8	4	5	2

64

8	6	4	7	1	2	9	5	3
2	9	7	3	5	8	4	1	6
3	1	5	6	9	4	8	7	2
7	4	3	9	6	5	1	2	8
1	2	8	4	3	7	5	6	9
6	5	9	2	8	1	7	3	4
4	8	2	5	7	3	6	9	1
5	3	6	1	4	9	2	8	7
9	7	1	8	2	6	3	4	5

65

9	4	1	7	2	8	3	5	6
2	7	6	5	3	9	8	1	4
3	8	5	4	1	6	7	2	9
4	6	3	8	9	2	1	7	5
1	9	8	6	5	7	4	3	2
5	2	7	1	4	3	9	6	8
7	5	2	3	8	4	6	9	1
8	3	9	2	6	1	5	4	7
6	1	4	9	7	5	2	8	3

66

6	9	2	3	8	7	4	1	5
3	1	5	4	2	9	8	7	6
8	7	4	5	6	1	9	3	2
1	5	9	6	4	2	7	8	3
4	6	3	9	7	8	2	5	1
7	2	8	1	5	3	6	9	4
9	8	6	2	3	5	1	4	7
5	4	7	8	1	6	3	2	9
2	3	1	7	9	4	5	6	8

67

3	4	6	2	7	9	8	5	1
1	2	8	3	5	6	7	4	9
7	5	9	1	8	4	3	6	2
6	8	4	7	9	2	5	1	3
2	1	7	6	3	5	4	9	8
9	3	5	4	1	8	6	2	7
8	9	2	5	6	7	1	3	4
4	6	1	8	2	3	9	7	5
5	7	3	9	4	1	2	8	6

68

5	2	9	3	8	4	1	6	7
4	3	8	6	1	7	5	2	9
6	1	7	5	9	2	4	3	8
1	9	5	8	2	6	7	4	3
2	7	6	4	3	5	9	8	1
8	4	3	1	7	9	2	5	6
3	5	4	9	6	1	8	7	2
9	6	2	7	5	8	3	1	4
7	8	1	2	4	3	6	9	5

69

3	8	2	7	4	1	6	9	5
7	1	4	5	6	9	8	3	2
9	5	6	3	2	8	7	1	4
6	3	9	8	5	4	1	2	7
8	2	5	9	1	7	4	6	3
1	4	7	6	3	2	9	5	8
4	7	3	2	9	6	5	8	1
2	6	8	1	7	5	3	4	9
5	9	1	4	8	3	2	7	6

70

1	6	2	5	3	4	8	9	7
8	3	9	1	6	7	5	2	4
4	7	5	2	8	9	1	3	6
6	1	7	4	2	8	3	5	9
9	8	4	6	5	3	7	1	2
2	5	3	9	7	1	6	4	8
3	4	1	8	9	6	2	7	5
7	2	6	3	4	5	9	8	1
5	9	8	7	1	2	4	6	3

71

6	8	7	3	1	9	4	5	2
5	1	3	6	2	4	7	9	8
4	2	9	7	8	5	1	3	6
9	5	6	8	7	3	2	1	4
7	4	1	9	6	2	3	8	5
2	3	8	5	4	1	9	6	7
1	7	5	4	3	6	8	2	9
3	9	4	2	5	8	6	7	1
8	6	2	1	9	7	5	4	3

72

2	8	9	4	5	3	6	1	7
1	6	7	9	8	2	5	3	4
3	4	5	7	1	6	9	2	8
5	3	6	2	9	7	8	4	1
7	2	4	1	6	8	3	5	9
9	1	8	3	4	5	7	6	2
4	5	1	8	3	9	2	7	6
8	7	3	6	2	4	1	9	5
6	9	2	5	7	1	4	8	3

73

8	3	2	5	1	4	7	9	6
9	6	1	2	3	7	8	4	5
5	4	7	6	8	9	3	2	1
2	8	9	7	4	1	6	5	3
3	7	4	8	5	6	2	1	9
6	1	5	3	9	2	4	8	7
4	9	6	1	2	3	5	7	8
1	5	3	4	7	8	9	6	2
7	2	8	9	6	5	1	3	4

74

5	9	4	2	8	3	7	1	6
1	7	2	9	4	6	8	3	5
3	8	6	7	1	5	4	2	9
8	6	1	5	2	7	3	9	4
7	2	9	6	3	4	1	5	8
4	3	5	8	9	1	2	6	7
6	5	3	4	7	2	9	8	1
9	1	7	3	6	8	5	4	2
2	4	8	1	5	9	6	7	3

75

9	1	8	6	4	5	2	3	7
2	3	4	1	7	8	6	5	9
7	6	5	9	3	2	1	8	4
8	5	1	2	6	9	4	7	3
4	7	9	3	5	1	8	2	6
6	2	3	4	8	7	5	9	1
1	9	7	8	2	4	3	6	5
5	8	6	7	1	3	9	4	2
3	4	2	5	9	6	7	1	8

76

9	2	8	4	6	7	5	1	3
4	7	6	1	3	5	9	2	8
3	1	5	8	2	9	6	7	4
8	9	1	6	4	3	2	5	7
2	6	7	5	9	8	4	3	1
5	3	4	2	7	1	8	6	9
1	4	9	7	5	2	3	8	6
7	5	3	9	8	6	1	4	2
6	8	2	3	1	4	7	9	5

77

5	9	1	3	6	2	7	4	8
7	6	3	1	8	4	9	5	2
4	8	2	5	7	9	1	6	3
8	3	4	6	9	5	2	1	7
2	1	5	7	4	3	8	9	6
9	7	6	2	1	8	5	3	4
6	2	8	4	5	1	3	7	9
3	5	7	9	2	6	4	8	1
1	4	9	8	3	7	6	2	5

78

2	1	6	7	5	4	9	3	8
4	5	8	9	3	2	6	1	7
9	3	7	6	8	1	2	4	5
1	8	5	4	9	7	3	2	6
6	2	9	5	1	3	8	7	4
3	7	4	8	2	6	1	5	9
7	9	3	2	4	8	5	6	1
8	4	1	3	6	5	7	9	2
5	6	2	1	7	9	4	8	3

79

6	7	1	8	4	9	3	2	5
2	4	9	6	3	5	1	8	7
8	5	3	1	2	7	4	6	9
9	2	5	7	8	4	6	1	3
1	8	6	3	9	2	5	7	4
7	3	4	5	1	6	2	9	8
5	1	8	2	7	3	9	4	6
3	9	2	4	6	8	7	5	1
4	6	7	9	5	1	8	3	2

80

3	8	1	4	2	9	6	7	5
2	9	6	7	5	1	3	8	4
7	4	5	8	6	3	9	1	2
1	7	4	5	9	2	8	3	6
5	6	9	1	3	8	2	4	7
8	2	3	6	4	7	1	5	9
4	5	2	3	8	6	7	9	1
6	1	8	9	7	4	5	2	3
9	3	7	2	1	5	4	6	8

81

6	1	3	9	2	4	5	8	7
7	5	8	6	1	3	2	9	4
2	9	4	5	8	7	6	1	3
8	3	7	2	9	6	1	4	5
1	4	9	7	3	5	8	6	2
5	2	6	1	4	8	7	3	9
9	8	1	3	5	2	4	7	6
4	7	2	8	6	9	3	5	1
3	6	5	4	7	1	9	2	8

82

8	4	3	1	6	2	9	5	7
6	7	9	5	3	4	1	8	2
1	5	2	7	8	9	3	4	6
7	2	5	8	9	6	4	1	3
9	1	8	3	4	7	2	6	5
4	3	6	2	1	5	7	9	8
5	9	4	6	2	3	8	7	1
2	8	7	9	5	1	6	3	4
3	6	1	4	7	8	5	2	9

83

7	6	3	9	1	5	2	4	8
9	2	4	6	8	3	1	5	7
5	8	1	7	4	2	6	3	9
2	1	5	8	9	6	4	7	3
8	7	6	1	3	4	9	2	5
3	4	9	5	2	7	8	1	6
6	3	2	4	7	9	5	8	1
4	9	8	3	5	1	7	6	2
1	5	7	2	6	8	3	9	4

84

9	2	7	5	8	6	4	3	1
3	5	8	1	4	2	7	9	6
4	6	1	9	3	7	8	2	5
1	8	5	7	6	3	9	4	2
2	3	6	4	9	1	5	7	8
7	4	9	2	5	8	1	6	3
8	7	4	6	2	5	3	1	9
5	9	2	3	1	4	6	8	7
6	1	3	8	7	9	2	5	4

85

1	7	2	9	5	8	4	3	6
8	9	3	4	2	6	5	7	1
4	5	6	7	3	1	9	8	2
3	6	9	1	8	2	7	5	4
5	8	7	6	4	3	2	1	9
2	4	1	5	9	7	8	6	3
6	2	8	3	7	9	1	4	5
7	3	5	2	1	4	6	9	8
9	1	4	8	6	5	3	2	7

86

5	9	8	7	1	3	4	2	6
4	2	3	8	6	5	1	7	9
7	1	6	4	2	9	3	8	5
8	7	9	3	5	6	2	1	4
2	3	4	1	9	7	5	6	8
1	6	5	2	8	4	7	9	3
6	8	7	5	4	1	9	3	2
3	5	2	9	7	8	6	4	1
9	4	1	6	3	2	8	5	7

87

4	1	9	5	3	2	7	8	6
7	5	8	6	4	9	2	3	1
6	2	3	1	8	7	9	4	5
5	8	6	7	2	3	1	9	4
1	9	2	4	6	5	8	7	3
3	4	7	9	1	8	6	5	2
2	7	4	3	9	6	5	1	8
8	3	5	2	7	1	4	6	9
9	6	1	8	5	4	3	2	7

88

5	7	3	6	9	1	4	2	8
9	6	2	7	8	4	5	1	3
4	1	8	3	5	2	9	6	7
8	9	6	4	1	5	3	7	2
7	2	4	9	6	3	1	8	5
3	5	1	2	7	8	6	4	9
2	8	5	1	3	6	7	9	4
1	3	9	8	4	7	2	5	6
6	4	7	5	2	9	8	3	1

89

3	5	1	9	4	7	2	8	6
8	7	4	1	2	6	9	5	3
2	9	6	3	5	8	7	1	4
5	6	8	2	7	4	1	3	9
7	4	9	8	3	1	5	6	2
1	2	3	5	6	9	4	7	8
4	1	2	7	8	3	6	9	5
6	8	7	4	9	5	3	2	1
9	3	5	6	1	2	8	4	7

90

5	3	6	7	8	9	4	2	1
2	1	7	3	4	6	5	8	9
4	8	9	5	2	1	6	7	3
7	9	1	4	6	5	8	3	2
3	2	4	9	1	8	7	5	6
6	5	8	2	7	3	1	9	4
1	6	2	8	9	7	3	4	5
9	7	5	6	3	4	2	1	8
8	4	3	1	5	2	9	6	7

91

7	6	8	9	5	2	3	4	1
9	3	4	1	6	7	5	8	2
1	2	5	4	8	3	7	6	9
4	5	7	3	2	6	1	9	8
2	8	3	7	9	1	4	5	6
6	1	9	5	4	8	2	7	3
8	9	1	2	7	4	6	3	5
3	4	6	8	1	5	9	2	7
5	7	2	6	3	9	8	1	4

92

1	4	7	2	9	3	6	5	8
5	9	8	6	1	7	4	3	2
3	2	6	4	8	5	1	7	9
7	8	1	9	6	4	3	2	5
9	6	3	5	7	2	8	4	1
4	5	2	1	3	8	9	6	7
8	1	4	7	2	6	5	9	3
2	3	5	8	4	9	7	1	6
6	7	9	3	5	1	2	8	4

93

5	6	3	9	2	1	8	4	7
9	2	4	5	8	7	3	6	1
8	7	1	4	3	6	9	5	2
6	9	2	1	7	5	4	3	8
1	5	8	3	4	9	7	2	6
3	4	7	2	6	8	5	1	9
7	3	6	8	1	4	2	9	5
4	8	9	6	5	2	1	7	3
2	1	5	7	9	3	6	8	4

94

5	2	3	8	1	9	6	7	4
7	8	9	4	6	2	5	1	3
1	4	6	7	3	5	8	9	2
6	1	5	3	7	8	2	4	9
2	9	7	6	5	4	1	3	8
4	3	8	9	2	1	7	5	6
9	5	4	2	8	7	3	6	1
8	6	1	5	4	3	9	2	7
3	7	2	1	9	6	4	8	5

95

6	9	2	8	4	7	3	5	1
4	5	1	6	3	9	7	2	8
3	8	7	5	1	2	4	6	9
9	4	5	7	8	3	6	1	2
7	1	8	2	6	5	9	4	3
2	6	3	1	9	4	5	8	7
8	7	4	3	2	6	1	9	5
5	2	9	4	7	1	8	3	6
1	3	6	9	5	8	2	7	4

96

6	1	8	2	9	7	4	3	5
9	7	5	3	4	6	2	8	1
3	2	4	1	5	8	9	6	7
8	4	3	9	7	1	5	2	6
1	9	2	6	3	5	7	4	8
5	6	7	4	8	2	1	9	3
2	3	1	7	6	9	8	5	4
4	5	9	8	1	3	6	7	2
7	8	6	5	2	4	3	1	9

97

9	5	1	4	6	8	2	7	3
3	8	4	7	5	2	9	6	1
2	6	7	1	3	9	4	8	5
5	1	2	6	4	7	8	3	9
6	3	9	2	8	1	5	4	7
7	4	8	5	9	3	1	2	6
4	2	6	9	7	5	3	1	8
8	7	5	3	1	4	6	9	2
1	9	3	8	2	6	7	5	4

98

8	1	9	7	4	3	5	6	2
6	3	4	9	5	2	7	8	1
7	5	2	8	6	1	3	4	9
1	4	5	3	7	9	8	2	6
9	7	8	2	1	6	4	5	3
3	2	6	5	8	4	1	9	7
5	8	1	6	2	7	9	3	4
4	6	3	1	9	5	2	7	8
2	9	7	4	3	8	6	1	5

99

7	8	4	3	5	6	2	9	1
1	5	6	2	9	7	4	8	3
9	3	2	1	8	4	7	6	5
3	9	8	7	6	2	5	1	4
2	4	7	9	1	5	8	3	6
6	1	5	4	3	8	9	2	7
5	7	3	8	2	1	6	4	9
4	2	1	6	7	9	3	5	8
8	6	9	5	4	3	1	7	2

100

1	3	4	9	8	6	2	5	7
7	5	2	3	1	4	8	6	9
9	6	8	5	2	7	1	3	4
2	1	3	4	7	8	5	9	6
8	4	6	1	9	5	7	2	3
5	9	7	6	3	2	4	8	1
4	8	9	2	6	1	3	7	5
3	7	5	8	4	9	6	1	2
6	2	1	7	5	3	9	4	8

101

8	6	9	7	2	5	3	4	1
4	1	2	3	8	6	5	7	9
5	7	3	1	9	4	2	6	8
1	5	7	2	4	9	8	3	6
9	3	6	5	1	8	4	2	7
2	8	4	6	7	3	1	9	5
7	9	8	4	5	2	6	1	3
6	4	5	9	3	1	7	8	2
3	2	1	8	6	7	9	5	4

102

5	6	4	2	1	3	7	9	8
8	2	3	7	9	4	6	5	1
1	7	9	6	5	8	4	3	2
2	4	1	8	3	7	9	6	5
9	8	7	5	6	2	3	1	4
6	3	5	9	4	1	2	8	7
3	1	6	4	7	5	8	2	9
4	5	2	3	8	9	1	7	6
7	9	8	1	2	6	5	4	3

103

7	6	1	8	3	2	9	4	5
4	8	3	1	9	5	7	2	6
9	5	2	7	4	6	3	1	8
5	1	7	6	2	9	4	8	3
2	3	4	5	1	8	6	7	9
6	9	8	3	7	4	2	5	1
8	2	5	9	6	7	1	3	4
3	4	6	2	8	1	5	9	7
1	7	9	4	5	3	8	6	2

104

7	2	4	8	1	3	9	5	6
9	1	6	7	5	2	4	8	3
8	5	3	6	4	9	2	7	1
1	8	9	2	7	4	3	6	5
5	3	2	1	9	6	8	4	7
4	6	7	5	3	8	1	2	9
2	7	8	9	6	1	5	3	4
6	4	1	3	2	5	7	9	8
3	9	5	4	8	7	6	1	2

105

7	1	3	2	8	6	9	4	5
9	6	4	5	7	1	3	2	8
5	8	2	4	3	9	6	1	7
6	3	7	8	1	4	2	5	9
1	4	5	9	2	7	8	3	6
8	2	9	3	6	5	4	7	1
2	9	8	7	5	3	1	6	4
4	7	1	6	9	2	5	8	3
3	5	6	1	4	8	7	9	2

106

9	6	8	5	7	3	2	1	4
4	1	7	6	2	8	3	5	9
2	5	3	4	9	1	6	8	7
6	2	9	1	5	7	4	3	8
7	3	4	8	6	2	5	9	1
5	8	1	3	4	9	7	2	6
1	7	5	9	3	6	8	4	2
3	9	6	2	8	4	1	7	5
8	4	2	7	1	5	9	6	3

107

5	3	1	4	2	6	9	7	8
2	9	7	8	5	3	6	4	1
4	6	8	7	1	9	2	3	5
7	1	2	3	6	5	4	8	9
3	5	6	9	8	4	7	1	2
9	8	4	2	7	1	5	6	3
1	2	3	5	4	7	8	9	6
6	7	5	1	9	8	3	2	4
8	4	9	6	3	2	1	5	7

108

5	6	3	7	4	8	2	9	1
1	9	4	2	3	5	6	8	7
2	7	8	1	6	9	4	5	3
6	8	7	5	1	4	3	2	9
3	1	5	9	2	6	7	4	8
9	4	2	3	8	7	5	1	6
7	2	9	6	5	1	8	3	4
4	5	1	8	7	3	9	6	2
8	3	6	4	9	2	1	7	5

109

1	4	7	6	3	9	2	5	8
5	9	2	1	4	8	7	6	3
8	3	6	5	7	2	1	4	9
4	6	8	2	1	3	5	9	7
2	1	5	7	9	4	3	8	6
3	7	9	8	6	5	4	1	2
9	5	3	4	2	6	8	7	1
6	8	1	3	5	7	9	2	4
7	2	4	9	8	1	6	3	5

110

6	4	5	1	2	8	3	7	9
8	2	7	3	4	9	5	1	6
1	9	3	7	6	5	2	8	4
4	6	8	2	5	7	1	9	3
7	1	2	9	3	6	8	4	5
5	3	9	4	8	1	7	6	2
9	8	6	5	1	2	4	3	7
2	7	4	8	9	3	6	5	1
3	5	1	6	7	4	9	2	8

111

7	6	2	5	8	4	9	3	1
4	8	1	2	3	9	6	5	7
9	3	5	6	7	1	4	8	2
5	2	3	1	4	7	8	9	6
8	7	4	9	6	2	3	1	5
6	1	9	8	5	3	2	7	4
3	4	8	7	1	6	5	2	9
1	9	6	3	2	5	7	4	8
2	5	7	4	9	8	1	6	3

112

5	6	4	7	8	9	3	2	1
8	1	3	2	5	4	7	9	6
9	7	2	6	1	3	8	5	4
3	8	6	1	2	5	4	7	9
2	5	7	9	4	8	6	1	3
4	9	1	3	6	7	2	8	5
7	4	5	8	3	1	9	6	2
6	3	9	5	7	2	1	4	8
1	2	8	4	9	6	5	3	7

113

5	3	2	7	1	9	8	4	6
9	8	1	5	4	6	2	3	7
6	7	4	3	2	8	5	1	9
8	5	3	6	7	1	9	2	4
4	6	7	9	8	2	3	5	1
1	2	9	4	3	5	6	7	8
2	9	6	1	5	4	7	8	3
3	4	8	2	9	7	1	6	5
7	1	5	8	6	3	4	9	2

114

2	4	3	1	8	7	6	5	9
5	8	1	3	9	6	7	4	2
9	7	6	2	4	5	1	8	3
6	3	2	8	5	4	9	1	7
4	5	7	6	1	9	3	2	8
8	1	9	7	3	2	4	6	5
7	2	4	9	6	8	5	3	1
1	9	5	4	2	3	8	7	6
3	6	8	5	7	1	2	9	4

115

7	8	1	6	2	3	4	9	5
5	2	4	1	9	8	7	3	6
3	6	9	4	7	5	2	1	8
9	7	8	2	4	6	3	5	1
1	5	2	3	8	7	6	4	9
6	4	3	5	1	9	8	2	7
8	1	6	9	3	2	5	7	4
4	3	7	8	5	1	9	6	2
2	9	5	7	6	4	1	8	3

116

6	4	5	1	7	8	2	9	3
2	9	1	3	4	5	7	6	8
3	7	8	6	9	2	5	1	4
9	2	6	5	8	3	1	4	7
1	8	4	7	2	6	9	3	5
7	5	3	4	1	9	6	8	2
4	6	7	2	3	1	8	5	9
5	3	9	8	6	7	4	2	1
8	1	2	9	5	4	3	7	6

117

5	3	6	8	9	2	4	7	1
9	7	1	5	6	4	2	3	8
4	2	8	1	7	3	9	5	6
8	5	4	7	3	9	1	6	2
1	6	3	2	5	8	7	4	9
2	9	7	6	4	1	5	8	3
3	8	9	4	1	5	6	2	7
7	4	2	9	8	6	3	1	5
6	1	5	3	2	7	8	9	4

118

7	1	8	9	6	3	4	2	5
5	4	9	2	1	8	6	3	7
3	6	2	5	4	7	8	9	1
9	3	6	4	7	1	5	8	2
8	7	5	3	2	9	1	6	4
1	2	4	6	8	5	3	7	9
6	9	3	7	5	4	2	1	8
4	8	7	1	3	2	9	5	6
2	5	1	8	9	6	7	4	3

119

5	1	9	3	8	4	2	6	7
7	2	6	9	1	5	8	4	3
8	3	4	6	7	2	1	9	5
4	9	5	8	2	6	7	3	1
3	7	8	4	5	1	9	2	6
2	6	1	7	3	9	5	8	4
1	4	2	5	6	8	3	7	9
9	8	7	1	4	3	6	5	2
6	5	3	2	9	7	4	1	8

120

4	5	8	7	3	9	1	2	6
2	3	7	6	1	8	9	4	5
9	1	6	4	2	5	8	3	7
1	7	4	8	9	6	2	5	3
5	6	9	3	4	2	7	1	8
3	8	2	1	5	7	4	6	9
7	9	1	2	6	3	5	8	4
6	2	5	9	8	4	3	7	1
8	4	3	5	7	1	6	9	2

121

5	3	7	4	9	8	2	1	6
4	6	2	7	5	1	3	8	9
1	9	8	6	2	3	4	5	7
7	1	4	8	3	6	9	2	5
8	2	9	5	1	7	6	4	3
6	5	3	2	4	9	8	7	1
9	8	5	3	7	2	1	6	4
3	4	6	1	8	5	7	9	2
2	7	1	9	6	4	5	3	8

122

9	1	7	6	8	4	3	2	5
4	3	6	2	9	5	8	7	1
5	8	2	3	1	7	6	9	4
2	6	9	1	5	8	4	3	7
1	7	3	9	4	6	5	8	2
8	5	4	7	3	2	1	6	9
6	4	5	8	7	9	2	1	3
3	9	8	4	2	1	7	5	6
7	2	1	5	6	3	9	4	8

123

5	7	1	2	6	4	3	9	8
9	8	6	7	3	1	4	2	5
2	3	4	5	8	9	6	1	7
3	5	8	9	2	6	7	4	1
4	6	9	1	5	7	8	3	2
7	1	2	3	4	8	5	6	9
6	9	3	8	1	5	2	7	4
8	4	7	6	9	2	1	5	3
1	2	5	4	7	3	9	8	6

124

2	8	5	7	1	3	4	6	9
7	9	1	6	4	8	5	3	2
3	6	4	9	5	2	1	8	7
6	5	7	2	8	4	9	1	3
1	4	8	3	6	9	7	2	5
9	3	2	5	7	1	8	4	6
4	7	6	8	2	5	3	9	1
5	1	9	4	3	6	2	7	8
8	2	3	1	9	7	6	5	4

125

8	9	5	4	1	3	7	2	6
7	3	4	8	2	6	1	5	9
2	1	6	5	7	9	4	3	8
3	5	1	6	4	7	8	9	2
6	8	7	2	9	5	3	4	1
9	4	2	1	3	8	6	7	5
5	7	3	9	8	1	2	6	4
4	6	8	7	5	2	9	1	3
1	2	9	3	6	4	5	8	7

126

9	3	8	5	4	1	6	7	2
1	4	5	7	6	2	9	8	3
7	6	2	3	8	9	1	5	4
8	9	3	2	1	7	5	4	6
4	1	6	8	5	3	7	2	9
5	2	7	4	9	6	3	1	8
3	7	1	6	2	4	8	9	5
6	8	4	9	7	5	2	3	1
2	5	9	1	3	8	4	6	7

127

1	7	3	2	9	8	6	4	5
9	5	4	7	6	3	8	2	1
2	6	8	1	5	4	7	3	9
6	8	9	3	4	2	5	1	7
7	4	2	5	1	6	3	9	8
3	1	5	8	7	9	4	6	2
8	3	6	9	2	5	1	7	4
5	9	7	4	3	1	2	8	6
4	2	1	6	8	7	9	5	3

128

7	4	1	6	2	5	3	9	8
8	5	6	1	3	9	2	7	4
9	2	3	8	4	7	6	5	1
4	7	2	3	6	1	9	8	5
5	6	8	4	9	2	7	1	3
3	1	9	5	7	8	4	2	6
6	9	5	7	1	4	8	3	2
1	3	7	2	8	6	5	4	9
2	8	4	9	5	3	1	6	7

129

3	2	1	9	8	7	6	4	5
6	5	8	4	2	1	7	9	3
4	7	9	5	6	3	8	1	2
8	3	6	7	4	2	9	5	1
2	1	4	8	5	9	3	7	6
5	9	7	1	3	6	2	8	4
1	6	5	3	7	8	4	2	9
7	4	2	6	9	5	1	3	8
9	8	3	2	1	4	5	6	7

130

3	2	5	1	6	8	9	4	7
4	1	6	7	9	2	3	8	5
9	8	7	3	5	4	2	6	1
2	9	8	6	4	7	5	1	3
7	6	1	5	2	3	8	9	4
5	3	4	9	8	1	6	7	2
1	4	9	8	3	5	7	2	6
6	7	3	2	1	9	4	5	8
8	5	2	4	7	6	1	3	9

131

1	4	8	3	7	5	6	9	2
6	7	5	9	2	1	8	4	3
2	3	9	4	8	6	5	7	1
5	9	6	7	4	3	1	2	8
4	8	2	5	1	9	7	3	6
3	1	7	2	6	8	4	5	9
9	5	1	6	3	4	2	8	7
7	6	4	8	9	2	3	1	5
8	2	3	1	5	7	9	6	4

132

8	1	9	6	4	5	2	7	3
7	6	2	8	1	3	9	5	4
5	3	4	9	2	7	8	1	6
4	8	3	5	9	1	7	6	2
6	2	7	4	3	8	5	9	1
1	9	5	7	6	2	4	3	8
2	4	6	3	5	9	1	8	7
9	7	1	2	8	6	3	4	5
3	5	8	1	7	4	6	2	9

133

7	5	4	9	8	3	6	1	2
6	8	3	1	2	4	7	9	5
1	9	2	5	6	7	4	8	3
4	2	8	6	9	5	3	7	1
9	7	1	3	4	2	5	6	8
5	3	6	7	1	8	9	2	4
2	1	5	4	7	9	8	3	6
3	6	9	8	5	1	2	4	7
8	4	7	2	3	6	1	5	9

134

5	9	3	1	8	6	4	7	2
6	7	1	2	4	5	8	3	9
2	8	4	3	9	7	6	5	1
8	5	7	9	6	1	2	4	3
3	2	9	8	5	4	1	6	7
4	1	6	7	2	3	5	9	8
9	3	5	4	1	8	7	2	6
7	6	8	5	3	2	9	1	4
1	4	2	6	7	9	3	8	5

135

5	6	9	1	2	4	8	7	3
4	1	8	5	7	3	9	2	6
7	3	2	6	9	8	4	5	1
1	9	6	8	5	7	2	3	4
8	7	4	2	3	1	6	9	5
3	2	5	4	6	9	7	1	8
2	8	3	7	1	6	5	4	9
9	4	7	3	8	5	1	6	2
6	5	1	9	4	2	3	8	7

136

2	9	1	5	7	6	3	4	8
4	8	7	3	1	9	6	2	5
5	3	6	2	4	8	7	9	1
3	7	4	1	9	2	8	5	6
6	2	9	8	3	5	1	7	4
1	5	8	4	6	7	2	3	9
9	1	3	7	8	4	5	6	2
8	6	2	9	5	3	4	1	7
7	4	5	6	2	1	9	8	3

137

5	9	6	4	8	1	3	2	7
3	4	8	6	2	7	1	9	5
2	1	7	3	5	9	6	4	8
7	3	4	9	1	2	5	8	6
1	8	2	5	4	6	9	7	3
6	5	9	7	3	8	2	1	4
4	6	1	8	9	5	7	3	2
9	7	3	2	6	4	8	5	1
8	2	5	1	7	3	4	6	9

138

4	3	1	6	7	2	9	8	5
7	6	8	5	3	9	4	2	1
5	2	9	8	4	1	7	3	6
3	1	7	4	9	5	2	6	8
8	9	4	1	2	6	5	7	3
2	5	6	3	8	7	1	4	9
9	4	3	7	1	8	6	5	2
6	8	2	9	5	4	3	1	7
1	7	5	2	6	3	8	9	4

139

2	8	1	6	3	5	4	7	9
7	3	5	2	9	4	6	8	1
9	4	6	7	1	8	2	5	3
3	9	8	4	5	2	1	6	7
4	1	7	3	8	6	9	2	5
5	6	2	9	7	1	8	3	4
8	2	9	5	4	3	7	1	6
6	5	4	1	2	7	3	9	8
1	7	3	8	6	9	5	4	2

140

5	2	1	6	3	8	7	4	9
6	9	4	1	2	7	3	8	5
3	8	7	5	4	9	1	6	2
1	7	9	3	8	6	2	5	4
4	3	2	9	7	5	8	1	6
8	6	5	2	1	4	9	3	7
7	5	6	8	9	1	4	2	3
2	4	8	7	5	3	6	9	1
9	1	3	4	6	2	5	7	8

141

5	9	3	2	6	4	7	8	1
6	2	4	8	1	7	5	3	9
7	8	1	5	3	9	4	2	6
4	7	9	1	2	8	6	5	3
3	5	8	7	4	6	9	1	2
1	6	2	9	5	3	8	4	7
9	1	7	4	8	2	3	6	5
8	3	5	6	9	1	2	7	4
2	4	6	3	7	5	1	9	8

142

2	3	8	5	6	9	4	1	7
4	9	5	7	1	2	6	3	8
7	6	1	3	8	4	9	5	2
1	2	4	6	3	5	8	7	9
9	7	3	1	4	8	2	6	5
5	8	6	2	9	7	3	4	1
3	5	7	9	2	6	1	8	4
8	1	9	4	5	3	7	2	6
6	4	2	8	7	1	5	9	3

143

9	1	8	4	3	6	7	2	5
4	2	7	8	5	1	9	3	6
3	5	6	7	2	9	1	8	4
2	3	1	9	8	5	4	6	7
8	7	9	2	6	4	3	5	1
5	6	4	1	7	3	8	9	2
1	4	2	6	9	8	5	7	3
7	8	5	3	1	2	6	4	9
6	9	3	5	4	7	2	1	8

144

2	7	6	1	5	4	3	9	8
9	1	4	7	3	8	6	2	5
3	8	5	9	6	2	4	7	1
7	6	3	5	4	1	2	8	9
8	5	2	6	9	3	1	4	7
4	9	1	8	2	7	5	3	6
6	3	8	2	1	9	7	5	4
1	4	7	3	8	5	9	6	2
5	2	9	4	7	6	8	1	3

145

3	7	5	9	4	6	2	8	1
6	4	9	8	1	2	3	5	7
2	8	1	7	3	5	4	9	6
1	3	8	5	7	9	6	4	2
5	2	4	3	6	1	9	7	8
9	6	7	2	8	4	5	1	3
7	5	6	1	9	3	8	2	4
8	9	3	4	2	7	1	6	5
4	1	2	6	5	8	7	3	9

146

1	2	8	5	6	4	3	9	7
7	6	5	1	9	3	8	4	2
3	4	9	2	8	7	5	6	1
2	9	3	8	4	1	6	7	5
4	8	1	6	7	5	9	2	3
5	7	6	9	3	2	1	8	4
9	5	4	7	1	8	2	3	6
8	1	7	3	2	6	4	5	9
6	3	2	4	5	9	7	1	8

147

1	8	7	2	9	4	5	3	6
5	3	2	1	7	6	4	9	8
6	9	4	8	5	3	2	1	7
9	2	3	5	1	8	6	7	4
7	6	1	4	3	2	9	8	5
4	5	8	7	6	9	3	2	1
3	1	5	9	4	7	8	6	2
2	4	9	6	8	1	7	5	3
8	7	6	3	2	5	1	4	9

148

1	6	9	3	8	2	7	5	4
7	2	4	6	1	5	8	3	9
8	3	5	9	7	4	6	2	1
5	7	3	4	2	9	1	6	8
2	4	1	5	6	8	3	9	7
9	8	6	1	3	7	5	4	2
4	1	8	2	5	3	9	7	6
6	5	2	7	9	1	4	8	3
3	9	7	8	4	6	2	1	5

149

3	2	5	1	6	8	9	4	7
4	1	6	7	9	2	3	8	5
9	8	7	3	5	4	2	6	1
2	9	8	6	4	7	5	1	3
7	6	1	5	2	3	8	9	4
5	3	4	9	8	1	6	7	2
1	4	9	8	3	5	7	2	6
6	7	3	2	1	9	4	5	8
8	5	2	4	7	6	1	3	9

150

9	7	3	1	2	8	5	4	6
1	6	8	5	7	4	9	3	2
2	4	5	3	6	9	7	8	1
7	3	1	8	4	6	2	9	5
4	9	6	2	5	1	8	7	3
5	8	2	9	3	7	1	6	4
6	1	4	7	8	2	3	5	9
3	2	7	4	9	5	6	1	8
8	5	9	6	1	3	4	2	7

151

3	1	5	6	2	9	7	4	8
2	4	8	1	7	5	6	9	3
6	9	7	4	3	8	1	5	2
7	8	9	5	1	4	3	2	6
5	2	3	7	9	6	8	1	4
1	6	4	2	8	3	9	7	5
9	5	6	3	4	7	2	8	1
8	3	1	9	5	2	4	6	7
4	7	2	8	6	1	5	3	9

152

3	1	2	5	9	4	6	7	8
9	7	5	2	6	8	4	3	1
8	4	6	3	7	1	9	5	2
4	5	1	9	8	7	3	2	6
7	9	3	4	2	6	1	8	5
2	6	8	1	5	3	7	4	9
5	3	7	8	1	9	2	6	4
1	8	4	6	3	2	5	9	7
6	2	9	7	4	5	8	1	3

153

4	5	9	8	3	2	6	1	7
2	7	8	6	1	4	9	5	3
3	1	6	9	7	5	4	2	8
6	3	4	5	2	1	7	8	9
9	8	1	7	4	6	5	3	2
7	2	5	3	9	8	1	6	4
1	4	7	2	6	3	8	9	5
8	9	3	1	5	7	2	4	6
5	6	2	4	8	9	3	7	1

154

8	9	3	6	1	7	5	4	2
1	4	2	8	5	9	6	3	7
5	7	6	3	2	4	8	9	1
4	6	8	7	9	2	1	5	3
7	3	5	1	4	6	9	2	8
9	2	1	5	8	3	7	6	4
6	5	7	2	3	8	4	1	9
3	1	4	9	7	5	2	8	6
2	8	9	4	6	1	3	7	5

155

9	7	5	4	2	6	3	8	1
2	4	6	8	1	3	7	9	5
1	3	8	5	7	9	6	2	4
7	6	2	1	5	4	8	3	9
3	1	9	2	6	8	4	5	7
8	5	4	9	3	7	2	1	6
6	9	1	7	8	2	5	4	3
5	2	3	6	4	1	9	7	8
4	8	7	3	9	5	1	6	2

156

7	2	3	8	9	6	4	1	5
6	1	9	3	4	5	2	7	8
4	8	5	2	1	7	6	3	9
1	3	4	7	2	9	8	5	6
5	7	6	4	8	1	3	9	2
2	9	8	5	6	3	7	4	1
8	5	2	9	7	4	1	6	3
3	6	7	1	5	2	9	8	4
9	4	1	6	3	8	5	2	7

157

6	8	5	3	1	4	9	2	7
4	9	1	2	7	8	3	5	6
2	3	7	5	6	9	4	8	1
5	1	2	6	9	7	8	3	4
3	7	9	4	8	2	1	6	5
8	4	6	1	3	5	7	9	2
1	6	4	8	5	3	2	7	9
9	2	3	7	4	6	5	1	8
7	5	8	9	2	1	6	4	3

158

6	8	7	4	5	3	9	1	2
1	5	3	9	2	6	7	4	8
4	2	9	7	1	8	6	5	3
9	6	5	3	8	7	1	2	4
7	4	2	1	6	5	3	8	9
3	1	8	2	4	9	5	6	7
5	9	6	8	7	4	2	3	1
2	3	4	5	9	1	8	7	6
8	7	1	6	3	2	4	9	5

159

7	9	1	4	3	2	8	6	5
3	8	2	6	9	5	1	7	4
4	6	5	1	8	7	3	9	2
8	5	4	7	2	3	9	1	6
6	7	3	5	1	9	4	2	8
1	2	9	8	6	4	7	5	3
2	1	6	9	4	8	5	3	7
9	4	7	3	5	6	2	8	1
5	3	8	2	7	1	6	4	9

160

1	9	2	6	3	8	4	7	5
8	7	3	4	5	9	2	1	6
4	6	5	1	2	7	9	3	8
9	1	4	8	7	3	5	6	2
7	5	8	9	6	2	3	4	1
3	2	6	5	1	4	7	8	9
2	3	9	7	8	1	6	5	4
5	8	7	2	4	6	1	9	3
6	4	1	3	9	5	8	2	7

161

5	1	6	7	3	8	2	9	4
3	8	4	6	9	2	1	7	5
9	7	2	1	5	4	3	8	6
1	5	7	4	8	3	6	2	9
6	3	9	5	2	1	8	4	7
4	2	8	9	7	6	5	1	3
2	9	1	3	4	5	7	6	8
8	4	3	2	6	7	9	5	1
7	6	5	8	1	9	4	3	2

162

1	7	8	5	6	2	3	4	9
9	5	2	3	4	7	6	8	1
6	4	3	9	8	1	5	2	7
5	3	1	4	7	6	2	9	8
8	6	9	1	2	5	7	3	4
7	2	4	8	9	3	1	5	6
3	8	5	7	1	4	9	6	2
2	9	7	6	5	8	4	1	3
4	1	6	2	3	9	8	7	5

163

5	7	9	2	3	4	6	8	1
8	4	3	6	1	9	7	5	2
6	1	2	7	5	8	3	9	4
9	3	1	8	7	6	4	2	5
4	6	5	3	9	2	1	7	8
7	2	8	1	4	5	9	6	3
1	5	6	4	2	7	8	3	9
3	9	7	5	8	1	2	4	6
2	8	4	9	6	3	5	1	7

164

8	4	9	6	2	7	1	5	3
7	5	6	4	1	3	2	8	9
2	3	1	9	8	5	6	7	4
4	7	5	8	9	6	3	1	2
9	2	8	1	3	4	7	6	5
6	1	3	7	5	2	9	4	8
3	8	2	5	6	1	4	9	7
5	6	7	2	4	9	8	3	1
1	9	4	3	7	8	5	2	6

165

9	8	7	6	3	4	2	5	1
6	4	1	2	5	9	8	3	7
3	2	5	7	8	1	9	6	4
1	5	3	8	9	7	6	4	2
2	7	4	1	6	5	3	8	9
8	9	6	4	2	3	7	1	5
5	3	8	9	1	2	4	7	6
7	6	2	5	4	8	1	9	3
4	1	9	3	7	6	5	2	8

166

5	4	6	1	9	2	3	8	7
2	7	3	5	4	8	6	1	9
1	9	8	6	7	3	5	2	4
8	6	9	7	1	4	2	3	5
7	1	5	2	3	9	8	4	6
4	3	2	8	6	5	9	7	1
6	5	1	3	2	7	4	9	8
9	2	7	4	8	6	1	5	3
3	8	4	9	5	1	7	6	2

167

9	3	5	6	7	2	8	4	1
6	7	4	8	1	5	9	2	3
2	1	8	9	4	3	7	6	5
4	9	1	5	8	6	2	3	7
8	6	3	7	2	4	5	1	9
7	5	2	1	3	9	6	8	4
1	2	7	3	5	8	4	9	6
3	4	6	2	9	7	1	5	8
5	8	9	4	6	1	3	7	2

168

5	7	4	8	2	3	6	1	9
8	1	6	9	5	4	2	3	7
2	3	9	1	7	6	8	4	5
1	9	3	2	4	8	5	7	6
7	4	2	6	1	5	3	9	8
6	5	8	7	3	9	4	2	1
3	8	1	5	9	2	7	6	4
9	2	5	4	6	7	1	8	3
4	6	7	3	8	1	9	5	2

169

8	2	1	6	9	7	5	3	4
9	3	4	2	1	5	8	6	7
7	6	5	3	4	8	9	1	2
5	1	7	9	8	4	6	2	3
3	4	2	5	7	6	1	9	8
6	8	9	1	3	2	4	7	5
1	9	8	7	5	3	2	4	6
4	7	6	8	2	9	3	5	1
2	5	3	4	6	1	7	8	9

170

7	5	2	8	1	4	9	6	3
3	4	8	9	6	2	1	5	7
1	6	9	7	5	3	8	4	2
9	3	5	6	4	7	2	1	8
6	1	7	2	8	5	3	9	4
8	2	4	1	3	9	6	7	5
2	9	3	5	7	1	4	8	6
4	7	6	3	9	8	5	2	1
5	8	1	4	2	6	7	3	9

171

8	6	7	1	3	9	5	4	2
1	5	9	2	4	8	7	6	3
2	4	3	5	7	6	8	9	1
5	3	1	9	8	2	4	7	6
9	7	2	4	6	3	1	5	8
6	8	4	7	1	5	3	2	9
7	9	8	6	5	1	2	3	4
3	2	5	8	9	4	6	1	7
4	1	6	3	2	7	9	8	5

172

9	1	8	3	2	4	5	6	7
5	2	4	6	7	8	1	3	9
7	3	6	1	5	9	8	2	4
8	9	3	5	1	6	7	4	2
2	6	5	4	8	7	3	9	1
1	4	7	2	9	3	6	8	5
3	5	1	9	6	2	4	7	8
6	8	9	7	4	1	2	5	3
4	7	2	8	3	5	9	1	6

173

5	6	2	1	3	9	4	8	7
7	4	1	5	8	2	9	6	3
8	9	3	7	6	4	1	5	2
4	2	6	9	1	7	5	3	8
9	1	8	3	5	6	2	7	4
3	7	5	2	4	8	6	1	9
6	8	9	4	7	1	3	2	5
1	5	4	8	2	3	7	9	6
2	3	7	6	9	5	8	4	1

174

8	9	2	3	5	6	1	4	7
7	1	6	8	4	9	5	3	2
5	3	4	1	7	2	6	9	8
9	5	1	4	3	8	7	2	6
6	8	3	2	9	7	4	5	1
2	4	7	6	1	5	3	8	9
4	2	8	7	6	3	9	1	5
3	7	5	9	2	1	8	6	4
1	6	9	5	8	4	2	7	3

175

6	1	5	9	8	4	2	3	7
8	3	7	5	6	2	1	4	9
2	4	9	7	1	3	5	8	6
4	8	1	6	3	7	9	5	2
5	2	6	1	4	9	3	7	8
7	9	3	2	5	8	6	1	4
3	6	2	8	7	1	4	9	5
9	7	4	3	2	5	8	6	1
1	5	8	4	9	6	7	2	3

176

7	5	1	2	6	3	4	8	9
6	8	4	5	9	1	2	7	3
2	9	3	4	7	8	6	5	1
5	4	2	1	3	9	8	6	7
3	6	9	7	8	2	5	1	4
8	1	7	6	5	4	9	3	2
9	2	5	8	1	7	3	4	6
4	7	8	3	2	6	1	9	5
1	3	6	9	4	5	7	2	8

177

4	6	7	1	5	3	9	2	8
9	8	5	7	2	4	1	3	6
3	1	2	6	9	8	7	4	5
1	7	9	5	6	2	3	8	4
2	3	4	8	1	9	5	6	7
8	5	6	3	4	7	2	1	9
6	4	3	9	7	1	8	5	2
7	2	8	4	3	5	6	9	1
5	9	1	2	8	6	4	7	3

178

3	2	4	8	1	6	7	5	9
7	9	6	3	2	5	1	8	4
5	1	8	7	4	9	3	2	6
6	7	5	4	9	1	8	3	2
4	3	2	6	8	7	9	1	5
9	8	1	2	5	3	4	6	7
2	5	7	1	3	4	6	9	8
1	6	9	5	7	8	2	4	3
8	4	3	9	6	2	5	7	1

179

5	8	2	3	1	6	7	4	9
4	1	9	7	8	2	5	6	3
3	6	7	5	9	4	1	2	8
7	3	4	6	2	1	8	9	5
6	5	1	9	3	8	4	7	2
2	9	8	4	5	7	6	3	1
1	2	6	8	7	9	3	5	4
8	4	3	2	6	5	9	1	7
9	7	5	1	4	3	2	8	6

180

3	1	2	8	7	5	4	9	6
7	6	5	3	4	9	2	1	8
9	8	4	1	6	2	7	5	3
6	5	9	4	2	1	3	8	7
8	2	3	5	9	7	6	4	1
1	4	7	6	3	8	9	2	5
2	9	8	7	1	3	5	6	4
5	3	6	2	8	4	1	7	9
4	7	1	9	5	6	8	3	2

181

7	5	3	4	2	8	1	6	9
8	2	1	7	9	6	3	4	5
4	9	6	1	5	3	8	7	2
2	1	9	8	7	4	6	5	3
5	8	7	6	3	2	4	9	1
6	3	4	5	1	9	7	2	8
9	7	2	3	6	1	5	8	4
3	4	5	9	8	7	2	1	6
1	6	8	2	4	5	9	3	7

182

9	3	2	5	1	7	6	4	8
1	6	8	3	2	4	9	5	7
7	4	5	9	8	6	3	1	2
8	9	3	1	4	2	7	6	5
2	5	4	7	6	9	8	3	1
6	7	1	8	5	3	2	9	4
4	1	7	6	9	8	5	2	3
3	2	9	4	7	5	1	8	6
5	8	6	2	3	1	4	7	9

183

4	1	7	8	9	5	3	2	6
9	3	5	2	6	7	4	8	1
8	2	6	1	3	4	9	7	5
2	6	9	7	4	3	1	5	8
5	7	4	6	1	8	2	9	3
3	8	1	9	5	2	7	6	4
1	9	8	3	2	6	5	4	7
7	5	2	4	8	1	6	3	9
6	4	3	5	7	9	8	1	2

184

8	9	6	7	2	1	4	5	3
4	5	2	8	6	3	9	1	7
3	7	1	4	9	5	2	6	8
7	4	8	1	5	6	3	9	2
5	1	3	2	8	9	7	4	6
2	6	9	3	4	7	1	8	5
1	3	4	5	7	8	6	2	9
6	2	5	9	3	4	8	7	1
9	8	7	6	1	2	5	3	4

185

2	8	6	5	3	7	4	9	1
3	1	9	4	8	6	5	7	2
5	4	7	9	1	2	8	3	6
1	7	2	8	5	3	9	6	4
6	9	8	2	7	4	1	5	3
4	5	3	1	6	9	2	8	7
8	6	1	7	4	5	3	2	9
7	2	5	3	9	1	6	4	8
9	3	4	6	2	8	7	1	5

186

3	4	2	7	5	6	1	9	8
8	5	1	4	3	9	2	7	6
6	9	7	8	1	2	5	3	4
9	6	5	1	2	4	7	8	3
1	7	8	3	6	5	4	2	9
4	2	3	9	8	7	6	5	1
5	3	6	2	4	8	9	1	7
7	1	4	5	9	3	8	6	2
2	8	9	6	7	1	3	4	5

187

4	9	1	3	7	6	5	8	2
6	5	3	2	8	4	1	7	9
7	8	2	5	1	9	4	3	6
2	3	7	1	9	5	6	4	8
5	6	8	4	2	7	9	1	3
1	4	9	6	3	8	2	5	7
8	2	4	7	6	1	3	9	5
3	7	5	9	4	2	8	6	1
9	1	6	8	5	3	7	2	4

188

8	7	1	6	3	4	5	9	2
4	3	5	8	9	2	6	7	1
6	9	2	1	7	5	8	4	3
3	6	8	2	1	7	4	5	9
7	2	4	5	8	9	3	1	6
1	5	9	3	4	6	7	2	8
9	1	6	7	5	8	2	3	4
2	4	7	9	6	3	1	8	5
5	8	3	4	2	1	9	6	7

189

7	2	1	6	5	9	8	4	3
6	8	3	7	4	2	5	1	9
5	9	4	8	3	1	7	2	6
3	5	6	2	1	4	9	8	7
4	1	9	5	8	7	3	6	2
2	7	8	9	6	3	1	5	4
9	4	5	3	2	8	6	7	1
1	6	7	4	9	5	2	3	8
8	3	2	1	7	6	4	9	5

190

6	1	8	9	5	2	7	3	4
7	4	5	6	1	3	2	8	9
2	9	3	8	4	7	1	5	6
4	3	1	7	2	6	8	9	5
8	2	7	5	3	9	6	4	1
5	6	9	4	8	1	3	7	2
3	7	6	2	9	4	5	1	8
1	8	4	3	6	5	9	2	7
9	5	2	1	7	8	4	6	3

191

1	8	3	9	4	5	2	6	7
7	2	9	6	8	1	5	3	4
4	5	6	7	2	3	9	1	8
2	4	5	1	6	8	7	9	3
8	9	7	2	3	4	6	5	1
6	3	1	5	7	9	4	8	2
9	6	2	3	1	7	8	4	5
5	1	4	8	9	2	3	7	6
3	7	8	4	5	6	1	2	9

192

8	2	7	4	5	6	9	1	3
5	3	9	2	1	8	7	4	6
6	4	1	7	9	3	5	2	8
3	7	5	9	6	2	1	8	4
9	1	2	5	8	4	3	6	7
4	6	8	3	7	1	2	5	9
1	5	3	6	4	7	8	9	2
7	8	4	1	2	9	6	3	5
2	9	6	8	3	5	4	7	1

193

4	1	5	9	2	7	8	3	6
9	6	3	4	5	8	2	7	1
8	7	2	1	6	3	9	5	4
2	3	8	6	1	9	5	4	7
7	5	6	3	4	2	1	8	9
1	4	9	7	8	5	6	2	3
6	2	7	8	3	1	4	9	5
5	9	4	2	7	6	3	1	8
3	8	1	5	9	4	7	6	2

194

1	4	9	5	6	8	3	2	7
2	5	3	7	1	9	6	4	8
6	8	7	4	3	2	1	5	9
7	1	8	3	9	5	2	6	4
3	6	5	8	2	4	7	9	1
9	2	4	1	7	6	5	8	3
5	9	1	2	8	3	4	7	6
4	3	6	9	5	7	8	1	2
8	7	2	6	4	1	9	3	5

195

9	7	4	3	2	5	1	8	6
5	3	6	1	4	8	2	9	7
1	8	2	9	7	6	5	4	3
8	5	7	2	6	1	4	3	9
2	6	3	8	9	4	7	5	1
4	1	9	5	3	7	8	6	2
3	4	5	6	1	2	9	7	8
7	9	1	4	8	3	6	2	5
6	2	8	7	5	9	3	1	4

196

6	9	1	4	3	5	8	7	2
2	7	3	9	8	6	5	4	1
8	5	4	1	7	2	6	3	9
3	6	2	8	9	7	1	5	4
9	4	5	3	2	1	7	6	8
1	8	7	6	5	4	9	2	3
7	2	9	5	4	8	3	1	6
5	1	8	2	6	3	4	9	7
4	3	6	7	1	9	2	8	5

197

1	3	4	7	6	8	2	5	9
8	2	6	3	5	9	7	4	1
9	5	7	4	2	1	8	3	6
2	6	3	1	9	5	4	8	7
4	7	9	8	3	2	6	1	5
5	8	1	6	7	4	9	2	3
3	1	2	9	8	6	5	7	4
6	4	8	5	1	7	3	9	2
7	9	5	2	4	3	1	6	8

198

6	1	4	2	3	7	5	9	8
3	9	2	1	5	8	7	4	6
7	5	8	4	9	6	2	1	3
2	8	9	7	6	1	4	3	5
4	6	3	8	2	5	9	7	1
5	7	1	3	4	9	8	6	2
1	2	6	9	8	4	3	5	7
9	3	7	5	1	2	6	8	4
8	4	5	6	7	3	1	2	9

199

1	5	2	9	8	4	6	7	3
8	9	6	7	1	3	5	4	2
3	4	7	5	2	6	9	1	8
9	8	5	6	7	1	2	3	4
7	2	4	8	3	5	1	9	6
6	3	1	4	9	2	7	8	5
4	1	3	2	6	9	8	5	7
5	6	8	1	4	7	3	2	9
2	7	9	3	5	8	4	6	1

200

7	1	3	5	4	9	6	8	2
5	6	8	1	2	3	4	7	9
4	9	2	7	6	8	3	5	1
6	3	9	8	5	4	1	2	7
8	2	4	3	7	1	9	6	5
1	7	5	6	9	2	8	4	3
9	8	6	2	1	5	7	3	4
2	4	7	9	3	6	5	1	8
3	5	1	4	8	7	2	9	6

201

3	1	7	5	2	4	9	6	8
9	8	2	7	1	6	4	3	5
4	5	6	3	8	9	2	7	1
5	2	8	9	3	7	1	4	6
6	3	1	2	4	5	7	8	9
7	9	4	1	6	8	3	5	2
1	6	3	4	5	2	8	9	7
2	7	5	8	9	3	6	1	4
8	4	9	6	7	1	5	2	3

202

6	7	1	9	4	2	5	8	3
2	5	4	8	1	3	7	9	6
3	8	9	6	7	5	1	4	2
7	9	8	5	3	4	2	6	1
5	1	6	2	9	7	8	3	4
4	3	2	1	8	6	9	5	7
9	6	3	7	5	1	4	2	8
1	2	5	4	6	8	3	7	9
8	4	7	3	2	9	6	1	5

203

5	3	6	8	7	1	2	9	4
2	7	4	5	6	9	3	8	1
9	8	1	3	4	2	5	6	7
6	4	8	9	1	5	7	2	3
7	5	2	6	3	8	4	1	9
1	9	3	4	2	7	8	5	6
3	2	7	1	8	6	9	4	5
4	1	9	2	5	3	6	7	8
8	6	5	7	9	4	1	3	2

204

7	5	6	9	1	3	2	8	4
4	9	8	2	6	5	7	1	3
3	2	1	7	8	4	5	9	6
2	3	7	8	5	9	6	4	1
1	8	4	6	7	2	3	5	9
9	6	5	4	3	1	8	7	2
6	4	3	5	9	8	1	2	7
5	7	2	1	4	6	9	3	8
8	1	9	3	2	7	4	6	5

205

2	9	4	7	8	6	3	5	1
1	5	8	9	3	2	4	7	6
6	3	7	5	1	4	2	8	9
4	6	3	1	9	5	8	2	7
5	1	2	8	6	7	9	3	4
7	8	9	2	4	3	1	6	5
8	2	6	4	7	1	5	9	3
9	7	1	3	5	8	6	4	2
3	4	5	6	2	9	7	1	8

206

8	2	6	4	3	5	7	9	1
4	1	9	2	6	7	5	3	8
5	7	3	8	9	1	6	2	4
2	6	5	1	8	3	4	7	9
1	8	7	9	4	2	3	6	5
3	9	4	7	5	6	1	8	2
6	3	2	5	1	8	9	4	7
7	4	1	6	2	9	8	5	3
9	5	8	3	7	4	2	1	6

207

9	6	2	8	7	5	1	4	3
4	7	1	9	6	3	8	5	2
3	5	8	1	2	4	9	7	6
6	1	5	7	3	8	2	9	4
2	4	3	5	9	1	6	8	7
7	8	9	6	4	2	5	3	1
5	2	7	4	1	9	3	6	8
1	9	4	3	8	6	7	2	5
8	3	6	2	5	7	4	1	9

208

2	7	5	3	8	9	1	6	4
4	9	8	6	2	1	3	7	5
1	6	3	7	5	4	2	9	8
8	4	7	9	1	3	6	5	2
3	5	1	4	6	2	7	8	9
6	2	9	5	7	8	4	1	3
7	3	6	2	9	5	8	4	1
9	8	4	1	3	6	5	2	7
5	1	2	8	4	7	9	3	6

209

1	3	4	9	8	6	5	7	2
6	2	7	1	3	5	4	8	9
8	9	5	4	7	2	3	6	1
7	4	8	5	6	1	9	2	3
3	6	2	8	4	9	7	1	5
9	5	1	3	2	7	8	4	6
4	1	6	7	5	3	2	9	8
2	7	3	6	9	8	1	5	4
5	8	9	2	1	4	6	3	7

210

7	5	6	4	1	3	9	2	8
2	3	9	6	5	8	7	1	4
4	8	1	9	2	7	3	5	6
3	6	2	7	4	5	1	8	9
1	4	8	3	9	2	5	6	7
5	9	7	8	6	1	2	4	3
6	1	4	2	7	9	8	3	5
8	7	5	1	3	6	4	9	2
9	2	3	5	8	4	6	7	1

211

9	6	1	4	7	5	8	3	2
2	3	7	8	1	6	5	4	9
4	8	5	3	2	9	1	7	6
8	7	3	2	6	4	9	5	1
1	2	4	9	5	7	3	6	8
6	5	9	1	8	3	7	2	4
3	4	2	5	9	1	6	8	7
7	9	8	6	3	2	4	1	5
5	1	6	7	4	8	2	9	3

212

4	1	3	8	7	6	9	5	2
7	8	9	3	5	2	1	4	6
5	2	6	1	9	4	3	8	7
6	9	4	7	3	5	2	1	8
2	3	8	4	6	1	7	9	5
1	5	7	2	8	9	6	3	4
3	6	1	5	2	8	4	7	9
9	7	5	6	4	3	8	2	1
8	4	2	9	1	7	5	6	3

213

1	7	2	3	8	5	6	9	4
4	5	3	6	1	9	2	8	7
9	8	6	4	7	2	5	3	1
8	2	1	5	3	4	9	7	6
5	9	4	7	2	6	3	1	8
3	6	7	8	9	1	4	2	5
6	1	9	2	4	7	8	5	3
7	3	5	9	6	8	1	4	2
2	4	8	1	5	3	7	6	9

214

3	4	5	7	8	1	6	9	2
2	6	7	9	4	5	3	1	8
8	9	1	2	6	3	4	7	5
7	2	4	6	1	8	9	5	3
5	1	9	3	7	2	8	6	4
6	8	3	4	5	9	1	2	7
9	7	8	1	2	4	5	3	6
1	5	6	8	3	7	2	4	9
4	3	2	5	9	6	7	8	1

215

1	4	9	8	6	5	2	7	3
2	8	3	7	1	9	6	4	5
6	7	5	4	3	2	8	9	1
5	3	8	6	9	4	1	2	7
9	2	4	3	7	1	5	6	8
7	6	1	5	2	8	9	3	4
4	9	7	1	5	6	3	8	2
3	5	6	2	8	7	4	1	9
8	1	2	9	4	3	7	5	6

216

9	6	3	1	2	4	5	8	7
7	2	5	8	3	6	9	4	1
1	4	8	7	9	5	2	6	3
6	7	2	9	5	8	3	1	4
8	3	1	4	6	2	7	5	9
5	9	4	3	1	7	8	2	6
4	8	6	5	7	9	1	3	2
3	5	7	2	4	1	6	9	8
2	1	9	6	8	3	4	7	5

217

2	1	3	8	7	5	6	4	9
8	6	4	3	2	9	5	7	1
5	9	7	4	1	6	2	8	3
6	2	9	7	5	1	4	3	8
4	5	8	9	6	3	1	2	7
7	3	1	2	4	8	9	5	6
9	7	2	6	8	4	3	1	5
1	4	6	5	3	7	8	9	2
3	8	5	1	9	2	7	6	4

218

3	4	9	7	6	2	1	5	8
5	1	7	4	8	3	9	6	2
2	6	8	9	1	5	3	4	7
1	8	5	2	4	7	6	3	9
6	7	3	1	9	8	5	2	4
9	2	4	5	3	6	7	8	1
7	5	1	3	2	4	8	9	6
4	3	6	8	7	9	2	1	5
8	9	2	6	5	1	4	7	3

219

5	9	3	4	2	6	1	8	7
8	2	4	7	5	1	6	3	9
1	7	6	3	8	9	4	2	5
2	6	8	9	4	3	5	7	1
3	1	5	8	6	7	2	9	4
7	4	9	5	1	2	3	6	8
9	3	1	2	7	4	8	5	6
6	8	2	1	9	5	7	4	3
4	5	7	6	3	8	9	1	2

220

1	5	8	2	6	4	9	7	3
9	3	4	8	5	7	1	6	2
6	2	7	1	3	9	4	5	8
4	7	6	5	9	8	2	3	1
5	9	1	3	2	6	8	4	7
3	8	2	4	7	1	5	9	6
8	1	3	7	4	5	6	2	9
2	4	9	6	1	3	7	8	5
7	6	5	9	8	2	3	1	4

221

9	1	6	2	8	7	3	5	4
3	4	2	6	9	5	1	8	7
7	8	5	1	4	3	2	9	6
4	7	8	5	1	2	6	3	9
6	5	1	8	3	9	7	4	2
2	3	9	4	7	6	5	1	8
5	9	7	3	2	8	4	6	1
8	6	4	7	5	1	9	2	3
1	2	3	9	6	4	8	7	5

222

5	4	8	3	7	6	1	2	9
3	2	1	9	8	4	5	6	7
6	9	7	1	2	5	3	4	8
4	5	2	6	3	7	8	9	1
7	8	9	5	4	1	6	3	2
1	6	3	2	9	8	4	7	5
9	1	4	8	6	2	7	5	3
2	7	5	4	1	3	9	8	6
8	3	6	7	5	9	2	1	4

223

5	8	2	9	1	6	7	4	3
1	7	6	3	8	4	2	9	5
3	4	9	2	5	7	8	1	6
7	2	3	4	6	5	9	8	1
9	1	4	7	3	8	6	5	2
6	5	8	1	2	9	4	3	7
8	3	7	5	4	2	1	6	9
2	6	1	8	9	3	5	7	4
4	9	5	6	7	1	3	2	8

224

9	8	1	4	5	6	7	2	3
5	2	4	7	8	3	9	6	1
7	3	6	1	9	2	4	5	8
8	5	7	2	4	1	3	9	6
4	1	2	3	6	9	5	8	7
3	6	9	5	7	8	1	4	2
1	4	3	6	2	5	8	7	9
2	7	8	9	1	4	6	3	5
6	9	5	8	3	7	2	1	4

225

6	4	2	7	8	3	5	9	1
1	5	8	9	2	4	6	7	3
9	3	7	6	5	1	8	4	2
4	2	6	5	7	9	1	3	8
5	8	1	4	3	2	9	6	7
7	9	3	1	6	8	4	2	5
3	7	9	8	4	5	2	1	6
8	6	4	2	1	7	3	5	9
2	1	5	3	9	6	7	8	4

226

2	9	8	7	4	3	6	1	5
6	1	7	9	5	2	3	4	8
5	3	4	1	8	6	2	7	9
3	8	1	5	2	9	4	6	7
4	7	2	6	3	8	9	5	1
9	6	5	4	7	1	8	3	2
8	4	3	2	1	5	7	9	6
1	2	9	3	6	7	5	8	4
7	5	6	8	9	4	1	2	3

227

8	4	9	2	1	7	3	6	5
6	1	2	5	3	8	7	4	9
5	7	3	9	6	4	8	2	1
7	2	8	1	9	6	4	5	3
3	6	4	8	5	2	1	9	7
9	5	1	4	7	3	2	8	6
4	9	5	3	2	1	6	7	8
2	3	7	6	8	9	5	1	4
1	8	6	7	4	5	9	3	2

228

9	6	3	1	4	7	2	8	5
4	1	5	8	9	2	3	7	6
7	8	2	3	5	6	1	4	9
3	7	1	2	6	4	5	9	8
5	9	8	7	3	1	6	2	4
6	2	4	9	8	5	7	1	3
8	4	7	6	2	3	9	5	1
1	5	6	4	7	9	8	3	2
2	3	9	5	1	8	4	6	7

229

9	3	4	5	1	7	8	2	6
1	8	5	3	2	6	4	9	7
2	6	7	8	4	9	3	5	1
5	7	3	6	8	1	2	4	9
4	9	1	7	3	2	6	8	5
8	2	6	9	5	4	7	1	3
7	1	8	2	6	5	9	3	4
3	5	9	4	7	8	1	6	2
6	4	2	1	9	3	5	7	8

230

1	6	2	4	3	8	5	9	7
9	4	5	6	7	1	2	3	8
3	7	8	9	2	5	1	6	4
8	2	6	7	5	3	4	1	9
7	1	4	8	9	6	3	5	2
5	3	9	2	1	4	8	7	6
2	5	7	1	8	9	6	4	3
6	8	1	3	4	7	9	2	5
4	9	3	5	6	2	7	8	1

231

4	5	2	3	1	8	7	6	9
3	7	9	6	5	2	1	8	4
6	1	8	7	9	4	3	5	2
2	4	7	1	6	5	9	3	8
5	3	6	4	8	9	2	1	7
9	8	1	2	3	7	5	4	6
7	2	3	8	4	1	6	9	5
8	6	5	9	2	3	4	7	1
1	9	4	5	7	6	8	2	3

232

5	2	1	3	9	4	7	6	8
6	4	7	8	2	1	3	9	5
3	9	8	6	7	5	2	4	1
9	7	4	5	8	3	6	1	2
2	1	6	9	4	7	8	5	3
8	5	3	2	1	6	9	7	4
7	8	2	4	5	9	1	3	6
4	6	9	1	3	8	5	2	7
1	3	5	7	6	2	4	8	9

233

5	2	7	9	6	4	8	3	1
4	8	9	3	5	1	7	6	2
3	1	6	7	2	8	9	5	4
7	3	4	5	8	9	2	1	6
1	5	8	6	3	2	4	7	9
6	9	2	4	1	7	5	8	3
2	7	5	1	9	3	6	4	8
9	6	1	8	4	5	3	2	7
8	4	3	2	7	6	1	9	5

234

9	5	4	1	6	2	8	7	3
6	1	7	4	3	8	9	2	5
3	8	2	7	9	5	4	6	1
8	7	3	6	2	9	5	1	4
2	4	9	5	1	3	6	8	7
1	6	5	8	7	4	2	3	9
4	3	8	2	5	1	7	9	6
7	2	1	9	4	6	3	5	8
5	9	6	3	8	7	1	4	2

235

1	6	7	9	8	4	2	3	5
2	8	9	3	5	1	7	6	4
4	3	5	6	7	2	9	8	1
3	4	6	2	1	9	5	7	8
8	5	2	4	6	7	1	9	3
7	9	1	8	3	5	6	4	2
6	2	8	1	9	3	4	5	7
5	1	3	7	4	6	8	2	9
9	7	4	5	2	8	3	1	6

236

6	3	7	8	2	9	4	1	5
2	4	5	6	1	7	3	9	8
8	9	1	4	3	5	2	6	7
5	6	8	1	4	2	7	3	9
1	7	3	9	8	6	5	4	2
4	2	9	5	7	3	1	8	6
7	8	2	3	6	1	9	5	4
9	1	6	7	5	4	8	2	3
3	5	4	2	9	8	6	7	1

237

9	7	3	1	4	8	6	5	2
5	4	1	6	9	2	8	7	3
6	2	8	3	7	5	4	1	9
3	9	4	5	1	6	7	2	8
2	8	6	7	3	4	1	9	5
1	5	7	8	2	9	3	6	4
4	1	2	9	8	7	5	3	6
7	6	9	4	5	3	2	8	1
8	3	5	2	6	1	9	4	7

238

5	9	8	7	3	4	2	1	6
7	3	6	9	2	1	4	8	5
2	4	1	6	8	5	7	9	3
4	2	7	1	9	3	5	6	8
8	1	3	5	7	6	9	4	2
6	5	9	8	4	2	3	7	1
1	6	4	3	5	9	8	2	7
9	8	5	2	1	7	6	3	4
3	7	2	4	6	8	1	5	9

239

6	9	4	8	1	5	2	7	3
7	5	3	4	2	9	8	1	6
2	1	8	6	7	3	4	5	9
3	4	1	2	5	8	9	6	7
9	7	2	1	3	6	5	8	4
8	6	5	9	4	7	1	3	2
1	8	7	3	9	4	6	2	5
4	3	6	5	8	2	7	9	1
5	2	9	7	6	1	3	4	8

240

4	1	6	5	7	2	8	9	3
2	9	5	3	8	1	6	7	4
8	7	3	6	4	9	2	5	1
1	4	8	7	3	6	5	2	9
7	6	9	2	5	4	1	3	8
3	5	2	1	9	8	7	4	6
6	3	1	9	2	5	4	8	7
9	2	4	8	6	7	3	1	5
5	8	7	4	1	3	9	6	2

241

2	8	5	7	4	9	6	1	3
6	7	9	3	1	8	5	2	4
4	1	3	5	6	2	7	8	9
7	2	1	9	8	5	4	3	6
5	3	4	6	2	7	8	9	1
8	9	6	4	3	1	2	7	5
3	5	8	1	7	6	9	4	2
9	4	2	8	5	3	1	6	7
1	6	7	2	9	4	3	5	8

242

8	9	2	4	7	5	3	6	1
4	6	3	2	8	1	7	5	9
7	5	1	3	9	6	8	2	4
3	2	7	9	5	8	1	4	6
6	4	8	7	1	2	5	9	3
9	1	5	6	3	4	2	8	7
5	7	6	1	2	9	4	3	8
2	3	4	8	6	7	9	1	5
1	8	9	5	4	3	6	7	2

243

1	2	9	4	5	8	6	7	3
8	6	7	9	1	3	2	5	4
3	5	4	6	2	7	1	9	8
7	9	6	2	8	4	3	1	5
4	1	3	5	7	9	8	2	6
5	8	2	3	6	1	7	4	9
2	7	5	8	9	6	4	3	1
9	4	8	1	3	2	5	6	7
6	3	1	7	4	5	9	8	2

244

8	1	5	6	4	7	2	3	9
2	6	7	9	1	3	8	5	4
3	4	9	5	8	2	7	1	6
1	9	3	4	2	6	5	8	7
6	2	8	7	5	9	3	4	1
7	5	4	8	3	1	6	9	2
9	7	1	3	6	8	4	2	5
4	8	6	2	9	5	1	7	3
5	3	2	1	7	4	9	6	8

245

1	3	9	8	4	6	5	7	2
8	4	5	1	2	7	9	3	6
7	2	6	9	3	5	4	8	1
3	7	8	4	6	9	1	2	5
9	6	2	5	7	1	8	4	3
4	5	1	3	8	2	6	9	7
6	8	4	7	1	3	2	5	9
2	9	3	6	5	8	7	1	4
5	1	7	2	9	4	3	6	8

246

6	7	9	2	8	5	4	1	3
8	1	3	7	6	4	9	5	2
2	4	5	9	3	1	6	7	8
3	2	4	6	5	9	7	8	1
1	5	6	8	2	7	3	9	4
9	8	7	1	4	3	2	6	5
5	9	8	4	7	2	1	3	6
7	3	2	5	1	6	8	4	9
4	6	1	3	9	8	5	2	7

247

1	9	8	2	7	5	3	4	6
2	4	3	6	8	9	5	7	1
6	7	5	1	3	4	2	8	9
9	6	2	3	4	8	7	1	5
5	3	1	7	6	2	8	9	4
7	8	4	5	9	1	6	3	2
3	5	7	4	1	6	9	2	8
8	1	6	9	2	7	4	5	3
4	2	9	8	5	3	1	6	7

248

6	5	8	7	9	3	4	2	1
3	4	9	1	2	5	7	6	8
2	7	1	4	6	8	9	3	5
7	1	2	8	4	9	6	5	3
8	9	5	3	7	6	2	1	4
4	6	3	2	5	1	8	7	9
9	2	7	5	3	4	1	8	6
5	8	4	6	1	2	3	9	7
1	3	6	9	8	7	5	4	2

249

8	5	3	6	7	2	9	4	1
2	6	1	8	9	4	5	7	3
9	4	7	1	5	3	2	6	8
5	3	9	7	4	1	6	8	2
4	1	8	2	6	9	7	3	5
6	7	2	5	3	8	4	1	9
3	2	4	9	8	7	1	5	6
1	8	5	4	2	6	3	9	7
7	9	6	3	1	5	8	2	4

250

9	7	6	2	8	3	1	5	4
3	8	5	1	7	4	2	6	9
4	1	2	6	5	9	3	7	8
5	9	7	8	3	2	6	4	1
8	2	1	7	4	6	9	3	5
6	3	4	9	1	5	7	8	2
1	6	3	5	9	8	4	2	7
7	4	8	3	2	1	5	9	6
2	5	9	4	6	7	8	1	3

251

2	6	4	1	9	5	3	7	8
1	7	9	2	3	8	6	4	5
8	3	5	6	7	4	1	2	9
4	5	7	3	2	9	8	6	1
6	9	8	4	1	7	2	5	3
3	1	2	8	5	6	4	9	7
9	8	6	5	4	1	7	3	2
5	4	3	7	8	2	9	1	6
7	2	1	9	6	3	5	8	4

252

3	2	6	5	8	1	4	7	9
9	8	1	4	3	7	6	2	5
7	4	5	2	9	6	3	1	8
2	1	8	3	4	9	5	6	7
5	7	9	8	6	2	1	3	4
6	3	4	1	7	5	9	8	2
8	5	3	7	1	4	2	9	6
1	9	2	6	5	8	7	4	3
4	6	7	9	2	3	8	5	1

253

1	8	9	6	7	5	4	3	2
3	7	4	8	9	2	5	6	1
2	5	6	4	1	3	8	9	7
6	1	3	7	5	8	2	4	9
5	9	7	2	4	6	1	8	3
4	2	8	1	3	9	7	5	6
8	6	5	3	2	1	9	7	4
9	4	1	5	6	7	3	2	8
7	3	2	9	8	4	6	1	5

254

7	3	5	8	2	9	6	4	1
1	8	6	5	7	4	9	2	3
4	2	9	6	3	1	5	7	8
3	5	4	1	8	6	2	9	7
6	1	7	3	9	2	8	5	4
8	9	2	4	5	7	1	3	6
5	4	3	2	6	8	7	1	9
9	6	1	7	4	5	3	8	2
2	7	8	9	1	3	4	6	5

255

5	1	6	3	4	8	9	2	7
7	9	8	2	5	6	1	3	4
4	3	2	1	9	7	8	5	6
8	2	5	9	6	1	7	4	3
9	4	1	7	2	3	6	8	5
3	6	7	4	8	5	2	9	1
1	7	4	8	3	9	5	6	2
2	5	9	6	1	4	3	7	8
6	8	3	5	7	2	4	1	9

256

7	2	6	3	8	5	4	9	1
9	8	1	4	6	2	5	3	7
4	5	3	1	9	7	6	2	8
2	4	7	9	5	3	8	1	6
6	1	5	2	4	8	3	7	9
3	9	8	6	7	1	2	4	5
1	6	2	8	3	9	7	5	4
8	7	9	5	2	4	1	6	3
5	3	4	7	1	6	9	8	2

257

3	4	1	8	7	2	5	9	6
5	6	8	4	1	9	3	2	7
7	2	9	3	6	5	1	8	4
9	3	5	1	2	6	7	4	8
4	1	7	9	8	3	6	5	2
6	8	2	5	4	7	9	1	3
2	7	4	6	5	1	8	3	9
1	9	6	2	3	8	4	7	5
8	5	3	7	9	4	2	6	1

258

7	2	8	6	4	1	9	3	5
5	4	1	2	9	3	8	6	7
3	9	6	7	5	8	2	1	4
8	7	9	1	6	2	4	5	3
4	1	2	3	7	5	6	9	8
6	5	3	4	8	9	7	2	1
2	8	4	5	1	6	3	7	9
1	3	7	9	2	4	5	8	6
9	6	5	8	3	7	1	4	2

259

1	5	9	7	8	3	6	2	4
6	4	3	5	1	2	9	7	8
7	8	2	4	9	6	3	1	5
5	3	7	1	4	9	8	6	2
2	9	8	6	5	7	1	4	3
4	1	6	2	3	8	7	5	9
9	6	4	8	7	5	2	3	1
3	2	5	9	6	1	4	8	7
8	7	1	3	2	4	5	9	6

260

9	4	3	7	8	6	2	5	1
2	5	6	3	9	1	8	4	7
8	1	7	4	5	2	3	9	6
7	8	9	1	2	4	5	6	3
4	6	5	9	7	3	1	2	8
1	3	2	5	6	8	9	7	4
6	7	1	2	3	9	4	8	5
3	9	8	6	4	5	7	1	2
5	2	4	8	1	7	6	3	9

261

4	6	8	7	2	5	3	9	1
5	1	7	3	8	9	4	6	2
2	3	9	6	1	4	7	5	8
9	7	4	8	3	2	5	1	6
6	8	3	9	5	1	2	4	7
1	5	2	4	7	6	8	3	9
8	9	6	2	4	3	1	7	5
3	2	5	1	6	7	9	8	4
7	4	1	5	9	8	6	2	3

262

6	3	9	7	5	4	1	2	8
2	5	1	8	6	3	9	7	4
4	8	7	1	2	9	5	6	3
5	4	8	2	3	7	6	9	1
9	7	3	6	1	5	4	8	2
1	2	6	9	4	8	7	3	5
7	6	4	3	8	1	2	5	9
8	9	5	4	7	2	3	1	6
3	1	2	5	9	6	8	4	7

263

4	3	8	5	1	2	7	6	9
9	2	1	7	6	3	8	4	5
7	6	5	4	8	9	3	2	1
8	5	7	1	2	4	9	3	6
3	9	6	8	5	7	2	1	4
2	1	4	9	3	6	5	7	8
6	4	9	3	7	5	1	8	2
5	8	3	2	4	1	6	9	7
1	7	2	6	9	8	4	5	3

264

4	5	6	9	2	7	8	1	3
3	7	9	1	4	8	6	2	5
1	2	8	6	3	5	9	7	4
7	4	3	5	8	9	2	6	1
5	6	2	3	7	1	4	9	8
9	8	1	4	6	2	3	5	7
2	9	7	8	5	4	1	3	6
8	3	5	2	1	6	7	4	9
6	1	4	7	9	3	5	8	2

265

5	3	9	1	8	7	4	2	6
7	4	8	2	9	6	1	5	3
6	1	2	3	4	5	8	9	7
1	7	4	5	2	8	3	6	9
2	8	3	6	1	9	7	4	5
9	5	6	4	7	3	2	8	1
8	6	1	7	5	2	9	3	4
3	2	7	9	6	4	5	1	8
4	9	5	8	3	1	6	7	2

266

5	6	7	3	1	8	4	9	2
3	9	1	6	4	2	8	7	5
2	4	8	7	5	9	6	3	1
1	8	9	2	3	6	7	5	4
4	2	3	5	9	7	1	6	8
7	5	6	1	8	4	9	2	3
8	3	4	9	6	5	2	1	7
9	7	5	8	2	1	3	4	6
6	1	2	4	7	3	5	8	9

267

4	9	8	1	3	5	2	6	7
1	3	5	6	7	2	9	4	8
7	2	6	4	8	9	1	3	5
3	8	1	7	9	4	5	2	6
5	4	7	2	6	8	3	1	9
2	6	9	5	1	3	8	7	4
8	7	4	9	2	1	6	5	3
6	1	3	8	5	7	4	9	2
9	5	2	3	4	6	7	8	1

268

8	3	7	4	6	5	9	1	2
1	6	9	7	2	8	3	4	5
4	2	5	9	1	3	8	7	6
7	9	3	2	8	4	5	6	1
5	1	4	6	3	9	7	2	8
6	8	2	5	7	1	4	9	3
3	4	1	8	9	2	6	5	7
2	5	6	3	4	7	1	8	9
9	7	8	1	5	6	2	3	4

269

9	1	5	2	7	6	8	3	4
8	4	3	1	9	5	2	7	6
7	2	6	4	3	8	5	9	1
5	6	7	8	4	9	1	2	3
4	9	2	6	1	3	7	5	8
1	3	8	7	5	2	6	4	9
2	8	9	5	6	4	3	1	7
3	5	1	9	8	7	4	6	2
6	7	4	3	2	1	9	8	5

270

4	5	6	9	8	2	7	3	1
9	2	1	6	7	3	8	5	4
7	3	8	4	5	1	6	2	9
3	9	5	8	1	7	2	4	6
6	8	4	5	2	9	1	7	3
1	7	2	3	4	6	5	9	8
5	4	7	1	3	8	9	6	2
8	6	3	2	9	5	4	1	7
2	1	9	7	6	4	3	8	5

271

6	9	7	1	2	5	4	3	8
4	3	8	9	7	6	2	5	1
2	5	1	8	4	3	6	7	9
9	8	2	7	5	4	3	1	6
1	6	4	3	9	2	7	8	5
3	7	5	6	1	8	9	2	4
8	4	6	5	3	7	1	9	2
7	2	9	4	8	1	5	6	3
5	1	3	2	6	9	8	4	7

272

7	1	9	8	4	2	3	6	5
8	6	4	3	1	5	2	9	7
3	5	2	7	6	9	8	4	1
5	3	1	9	7	6	4	2	8
4	8	7	2	5	3	6	1	9
2	9	6	1	8	4	7	5	3
1	2	5	4	3	8	9	7	6
6	4	3	5	9	7	1	8	2
9	7	8	6	2	1	5	3	4

273

3	8	1	4	2	9	5	7	6
7	5	4	1	8	6	2	9	3
2	9	6	3	5	7	8	1	4
1	4	5	6	7	8	3	2	9
6	7	8	2	9	3	4	5	1
9	2	3	5	1	4	7	6	8
4	1	2	8	6	5	9	3	7
8	6	9	7	3	2	1	4	5
5	3	7	9	4	1	6	8	2

274

9	4	3	7	2	8	1	5	6
5	2	8	4	1	6	9	7	3
6	7	1	5	3	9	8	4	2
2	8	7	1	5	3	6	9	4
4	1	5	6	9	2	7	3	8
3	6	9	8	7	4	2	1	5
1	9	2	3	8	5	4	6	7
8	5	6	9	4	7	3	2	1
7	3	4	2	6	1	5	8	9

275

4	8	2	1	6	9	3	5	7
9	1	5	7	3	8	2	6	4
6	7	3	5	4	2	1	8	9
2	4	6	8	7	3	9	1	5
1	5	8	9	2	4	6	7	3
7	3	9	6	1	5	4	2	8
5	2	7	3	9	1	8	4	6
8	9	4	2	5	6	7	3	1
3	6	1	4	8	7	5	9	2

276

9	6	5	4	1	8	2	3	7
1	8	3	2	7	6	9	5	4
7	2	4	5	3	9	6	8	1
3	5	2	9	4	7	1	6	8
6	1	9	8	2	5	4	7	3
4	7	8	3	6	1	5	9	2
5	3	7	1	9	2	8	4	6
8	4	1	6	5	3	7	2	9
2	9	6	7	8	4	3	1	5

277

5	6	2	9	7	3	1	8	4
8	7	4	2	1	5	9	6	3
9	1	3	6	4	8	5	2	7
3	2	1	7	8	6	4	5	9
7	5	9	3	2	4	8	1	6
4	8	6	5	9	1	3	7	2
6	3	7	8	5	9	2	4	1
1	9	8	4	6	2	7	3	5
2	4	5	1	3	7	6	9	8

278

5	4	1	6	3	9	8	7	2
3	9	8	2	7	1	6	4	5
2	7	6	8	4	5	3	1	9
7	3	4	9	6	8	5	2	1
1	8	2	4	5	7	9	6	3
6	5	9	3	1	2	4	8	7
9	1	3	7	8	4	2	5	6
8	2	5	1	9	6	7	3	4
4	6	7	5	2	3	1	9	8

279

5	3	2	4	8	1	9	7	6
1	9	4	7	2	6	3	8	5
7	8	6	9	3	5	2	1	4
9	1	8	3	6	4	5	2	7
2	6	3	5	1	7	4	9	8
4	5	7	8	9	2	1	6	3
8	2	5	6	4	9	7	3	1
3	4	9	1	7	8	6	5	2
6	7	1	2	5	3	8	4	9

280

1	3	2	8	4	9	5	6	7
9	4	7	5	6	3	1	2	8
6	5	8	7	2	1	4	3	9
5	6	3	9	1	2	8	7	4
2	7	1	4	8	5	6	9	3
4	8	9	3	7	6	2	5	1
3	9	6	1	5	4	7	8	2
7	2	4	6	3	8	9	1	5
8	1	5	2	9	7	3	4	6

281

2	3	5	4	9	8	6	7	1
7	8	9	6	1	5	2	4	3
1	6	4	7	3	2	9	8	5
9	7	2	5	8	3	4	1	6
8	4	3	2	6	1	5	9	7
6	5	1	9	4	7	3	2	8
5	9	7	1	2	6	8	3	4
3	2	6	8	7	4	1	5	9
4	1	8	3	5	9	7	6	2

282

7	4	8	1	5	2	9	3	6
1	2	6	8	9	3	4	7	5
3	9	5	7	6	4	1	2	8
2	3	4	6	1	7	8	5	9
6	8	1	9	2	5	7	4	3
5	7	9	4	3	8	2	6	1
4	6	7	5	8	9	3	1	2
8	1	2	3	4	6	5	9	7
9	5	3	2	7	1	6	8	4

283

7	3	1	8	4	2	9	6	5
5	6	4	7	1	9	8	2	3
8	9	2	5	6	3	4	1	7
9	2	7	4	3	5	1	8	6
6	4	3	1	9	8	7	5	2
1	8	5	6	2	7	3	4	9
4	5	9	2	7	1	6	3	8
3	1	8	9	5	6	2	7	4
2	7	6	3	8	4	5	9	1

284

6	5	4	8	2	7	1	9	3
7	1	9	3	6	4	8	5	2
2	3	8	5	9	1	7	4	6
3	2	1	7	4	5	9	6	8
8	9	6	2	1	3	5	7	4
4	7	5	9	8	6	2	3	1
5	4	7	1	3	2	6	8	9
9	6	2	4	7	8	3	1	5
1	8	3	6	5	9	4	2	7

285

5	2	8	4	7	9	3	6	1
9	4	1	6	3	5	8	7	2
3	7	6	2	1	8	9	5	4
4	9	5	7	8	1	6	2	3
6	1	3	9	4	2	5	8	7
2	8	7	3	5	6	4	1	9
8	5	2	1	9	3	7	4	6
7	6	9	8	2	4	1	3	5
1	3	4	5	6	7	2	9	8

286

1	5	7	9	6	2	8	3	4
2	3	4	7	8	1	6	5	9
6	9	8	3	5	4	7	2	1
8	6	3	1	7	9	2	4	5
7	2	9	5	4	8	1	6	3
5	4	1	6	2	3	9	7	8
4	1	5	2	9	7	3	8	6
9	7	6	8	3	5	4	1	2
3	8	2	4	1	6	5	9	7

287

3	6	7	4	8	1	2	5	9
5	1	2	3	6	9	8	7	4
8	4	9	2	5	7	3	6	1
9	8	3	6	7	4	5	1	2
4	2	1	5	9	8	7	3	6
7	5	6	1	2	3	4	9	8
6	3	4	8	1	5	9	2	7
2	7	5	9	4	6	1	8	3
1	9	8	7	3	2	6	4	5

288

7	3	5	8	1	4	9	2	6
8	4	2	6	9	7	3	5	1
1	6	9	5	3	2	4	8	7
2	1	3	9	8	5	7	6	4
9	7	8	1	4	6	2	3	5
4	5	6	2	7	3	1	9	8
3	9	7	4	5	8	6	1	2
6	8	1	7	2	9	5	4	3
5	2	4	3	6	1	8	7	9

289

2	6	3	1	8	5	9	7	4
1	7	5	3	9	4	8	2	6
4	8	9	2	7	6	3	1	5
7	4	6	8	3	2	1	5	9
5	9	1	4	6	7	2	3	8
3	2	8	9	5	1	4	6	7
9	5	4	7	1	3	6	8	2
8	1	7	6	2	9	5	4	3
6	3	2	5	4	8	7	9	1

290

8	2	1	5	9	6	7	3	4
4	9	7	2	3	1	6	8	5
5	6	3	7	8	4	1	2	9
9	3	4	1	6	8	2	5	7
7	5	8	4	2	9	3	1	6
2	1	6	3	5	7	9	4	8
1	7	2	6	4	5	8	9	3
6	4	9	8	1	3	5	7	2
3	8	5	9	7	2	4	6	1

291

9	8	7	6	4	3	2	1	5
6	2	1	9	5	8	7	3	4
3	4	5	2	7	1	8	9	6
2	1	8	4	9	6	5	7	3
5	9	4	3	1	7	6	8	2
7	6	3	8	2	5	1	4	9
1	3	2	7	6	4	9	5	8
4	5	9	1	8	2	3	6	7
8	7	6	5	3	9	4	2	1

292

7	2	6	4	5	9	1	8	3
3	5	8	1	6	7	4	9	2
1	4	9	3	2	8	7	6	5
2	8	4	7	1	6	3	5	9
5	3	7	8	9	4	6	2	1
9	6	1	2	3	5	8	7	4
4	9	2	6	8	1	5	3	7
6	7	3	5	4	2	9	1	8
8	1	5	9	7	3	2	4	6

293

4	7	9	1	6	2	3	5	8
8	3	6	7	5	9	2	4	1
2	5	1	4	3	8	9	6	7
5	1	4	6	9	7	8	3	2
6	8	3	2	1	4	7	9	5
7	9	2	5	8	3	4	1	6
3	6	8	9	7	1	5	2	4
9	2	5	8	4	6	1	7	3
1	4	7	3	2	5	6	8	9

294

3	4	5	2	7	1	6	8	9
7	6	8	3	9	4	1	5	2
1	9	2	8	5	6	4	7	3
9	2	7	4	3	5	8	6	1
5	8	4	6	1	9	2	3	7
6	3	1	7	8	2	9	4	5
4	5	9	1	6	3	7	2	8
2	7	3	9	4	8	5	1	6
8	1	6	5	2	7	3	9	4

295

6	1	5	9	3	2	7	4	8
7	9	4	1	8	6	3	2	5
2	8	3	7	5	4	1	9	6
9	7	6	5	4	3	8	1	2
4	3	8	2	1	7	5	6	9
1	5	2	8	6	9	4	3	7
3	6	7	4	9	8	2	5	1
5	2	9	3	7	1	6	8	4
8	4	1	6	2	5	9	7	3

296

1	2	7	8	3	4	5	6	9
8	6	5	2	7	9	3	4	1
4	9	3	6	5	1	8	7	2
9	4	6	1	8	3	7	2	5
3	5	1	9	2	7	4	8	6
2	7	8	4	6	5	9	1	3
6	3	2	7	9	8	1	5	4
5	8	4	3	1	6	2	9	7
7	1	9	5	4	2	6	3	8

297

5	8	9	2	3	7	1	6	4
3	1	6	4	5	8	2	9	7
2	7	4	9	1	6	8	5	3
6	3	1	8	4	2	9	7	5
7	5	8	6	9	1	4	3	2
9	4	2	5	7	3	6	1	8
8	6	5	7	2	9	3	4	1
4	2	3	1	6	5	7	8	9
1	9	7	3	8	4	5	2	6

298

5	8	2	3	1	7	6	4	9
6	7	9	5	8	4	2	3	1
1	4	3	2	6	9	8	7	5
2	3	8	6	5	1	4	9	7
4	9	5	7	3	8	1	2	6
7	1	6	4	9	2	5	8	3
9	2	1	8	7	6	3	5	4
3	6	4	9	2	5	7	1	8
8	5	7	1	4	3	9	6	2

299

7	9	8	5	1	4	2	6	3
1	4	2	7	3	6	8	9	5
3	5	6	2	8	9	1	4	7
8	2	3	6	4	7	9	5	1
9	1	7	8	5	3	6	2	4
5	6	4	9	2	1	3	7	8
4	8	9	3	7	2	5	1	6
2	7	5	1	6	8	4	3	9
6	3	1	4	9	5	7	8	2

300

1	7	2	4	8	3	6	9	5
6	4	5	1	7	9	2	8	3
3	9	8	2	6	5	4	7	1
4	5	1	3	9	2	7	6	8
7	3	6	8	1	4	5	2	9
2	8	9	7	5	6	3	1	4
9	2	4	6	3	8	1	5	7
5	1	3	9	2	7	8	4	6
8	6	7	5	4	1	9	3	2

NOTES

NOTES

NOTES

NOTES